D0241920

GOBAITH
a Storïau Eraill

GOBAITH

A STORÏAU ERAILL

KATE ROBERTS

GWASG GEE

1972
Argraffwyd gan Wasg Gee, Dinbych

CYFLWYNEDIG

I'R

ATHRO J. E. CAERWYN WILLIAMS

CYDNABOD

STORÏAU wedi eu cymryd o wahanol gylchgronau a phapurau newydd sydd yn y gyfrol hon. Diolchaf yn gynnes iawn i berchenogion y papurau a'r cylchgronau a ganlyn am eu caniatâd i gyhoeddi'r straeon: *Y Faner, Y Cymro, Barn, Taliesin, Y Traethodydd,* ac i'r Brodyr Lewis, Gwasg Gomer, Llandysul.

Mae fy niolch yn gynnes iawn hefyd i Wasg Gee am eu gwaith glân a phrydlon.

Diolch arbennig hefyd i'r Athro Caerwyn Williams am ei garedigrwydd yn cywiro'r proflenni.

Oherwydd amgylchiadau dyrys methais ysgrifennu storïau newydd i'w rhoi yn y gyfrol.

KATE ROBERTS

CYNNWYS

CYFEILLGARWCH

'RWYF yn gwybod fy mod i'n ddiawl cas, ond mi wn fod y lleill yn gasach. Felly 'rwyf wedi teimlo erioed, ac wedi dwad i ddeall erbyn hyn pam mae pobl yn lladd, nid mewn rhyfel, nid oes teimlad ar gyfyl y lladd hwnnw, ond yn agosrwydd cymdeithas, ar bwyllgorau, mewn cyfarfodydd a phethau felly. Efallai mai dyna pam mae'r bobl ifanc yma'n codi twrw, efallai mai wedi mygu casineb o'r tu mewn y maent, y casineb sydd i mi fel bywyd ym mos cyw 'deryn cyn iddo fagu plu, a minnau'n cael ei wared o ar fy mhen fy hun, heb fod yn un o dyrfa nac o nythiad. 'Dwn i ddim pa un ai casáu anghyfiawnder yr wyf, ai casáu awdur yr anghyfiawnder.

Ni allaf ddweud fod gennyf gyfaill yn y byd ond Jeff, a phrin y gellid galw hynny'n gyfeillgarwch, ffyddlondeb efallai, ffyddlondeb dyn fel finnau sydd heb gyfaill. Ond nid yw Jeff yn teimlo'n gas wrth neb, dyn anniddorol ydyw, heb lawer o synnwyr digrifwch, ac ni fedr dyn diflas, anniddorol binio'i lawes, hyd yn oed, wrth neb, heb sôn am ymgordeddu am bersonoliaeth neb arall. 'Rwyf wedi ei regi ganwaith oherwydd ei ddiniweidrwydd a'i ddiffyg ymateb. Yn y pen draw mae cael dyn cas yn erbyn dyn cas yn rhoi sbardun at fyw: dyna fy mwyd a'm diod i. Y nefoedd fawr, beth pe bawn i'n dweud hyn yn y seiat: mi ddôi cenfaint am fy mhen a'm bwrw allan. Pe baent yn onest fe fyddent yn dweud wrthyf fy mod yn dweud y gwir, ond rhyfedd fel y mae pobl yn medru eu twyllo eu hunain. Maent yn medru rhoi llen am eu teimladau a gweld yr anonest yn onest. Digon posibl mai dyna yr wyf i yn ei wneud. Mae geiriau yn swyno ac yn taflu hud dros feddyliau anonest, a gwneud inni eu credu. Efallai bod geiriau cas i mi yn fwy barddonol na rhai caredig, a bod geiriau caredig i bobl eraill yn feddal fwyn ac yn tywyllu eu meddwl rhag gweld beth sy'n iawn a pheth sy ddim. Fel y dywedodd yr hen athronydd, ni bydd uniawn barn lle bo cariad neu gas yn rheoli, a bod digasedd yn gweld bai lle ni bo, a chariad weithiau yn barnu'r bai yn rhinwedd.

Anwybodaeth pobl sy'n gwneud i mi eu casáu, anwybodaeth pobl sy'n agor eu cegau mewn cyfarfodydd yn lle bod yn ddistaw. Mae Jeff yn anwybodus, ond mae o'n gwybod pryd i dewi. Mi hoffais i o y tro cyntaf y gwelais o: mae ganddo wyneb mwyn, yn medru mynegi edmygedd, ac yn medru gwrando arnaf yn dweud fy nghwyn yn erbyn pobl. Mae o'n cydweld bob amser, ac yn ymddangos yn gynffongar, ond mae rhyw ddiniweidrwydd yn ei wyneb sy'n dileu'r argraff yna. Dyn wedi cael lwc heb ei cheisio ydyw. Ni fuaswn yn medru ei ddioddef am bum munud petawn i'n meddwl ei fod o'n cynffonna. Wrth gerdded efo fo hyd y stryd a phasio pobl y byddaf i'n gweld yn hollol beth mae o'n feddwl. Mi fydd yn edrych ar ei gydnabod y pryd hynny, cystal â dweud, " Ylwch chi pwy ydi fy ffrind i. 'Rydach chi wedi troi'ch cefnau arna i pan fyddwn i'n siarad efo chi; fyddai gynnoch chi ddim amynedd i wrando arna'i."

Gallaf ddallt y bobl yna: mae llais Jeff mor ddi-liw, a phob jôc yn disgyn i'r ddaear cyn ei geni. Ond efo mi, gwrando a nodio'i ben y bydd o. 'Rwyf yn cofio dweud wrtho ryw dro, petai Hwn-a-Hwn (ac enwi'r dyn casaf gennyf ar y Cyngor Sir) yn cael ei grogi yn gyhoeddus ar y sgwâr drannoeth, y buaswn i'n mynd yno i weld y crogi. A'r cwbl a ddywedodd o oedd, " 'Fasech chi, Doctor? " Dim synnwyr digrifwch, a'm sylw innau yn disgyn i'r ddaear fel sgwigen wedi rhwygo. Y fi oedd yn teimlo'n ffŵl.

Mae Mari, fy ngwraig, yn wahanol. Mae hi wedi fy nioddef am dros ddeng mlynedd ar hugain heb dynnu'n groes imi, yn ddideimlad, yn ddiwrthwynebiad. Doethineb? 'Dwn i ddim. Petai hi wedi gwrthwynebu, buasai'r tŷ yma'n eirias fel gefail gof bob dydd. 'Rwyf innau'n casáu pobl ddoeth am eu bod nhw'n cael eu canmol am eu doethineb. Enw arall ar ddistaw-rwydd anwybodus ydyw doethineb yn aml. Y dyn doeth ydyw'r dyn sy'n gweld ei gamgymeriad cyn ei wneud. Ac eto, ni fuaswn i'n dweud fy mod i'n annoeth wrth ddweud fy meddwl am bobl. Pwy sy'n pennu ar y safon y cawn ni'n barnu wrtho, ac yn medru dweud fod bod yn ddistaw yn ddoethach na siarad? Mewn gair pwy ydyw'r barnwr?

Ond mae Mari yn gadael llonydd imi mewn dwy ffordd. Mae hi'n gadael llonydd imi yn y parlwr yma efo'm llyfrau: anaml y bydd hi'n twllu'r lle ond i'm galw at fy mwyd. Wedyn, mae hi'n gadael llonydd imi pan ddywedaf i rywbeth cas wrthi, neu pan fydd hi wedi fy nghlywed yn dweud pethau cas mewn cyfarfod cyhoeddus neu yn rhywle arall. Fy ngoddef i mae Mari, ond mae Jeff yn fy edmygu. 'Rwyf yn treio caru pobl yn ddall, ond yn methu am fy mod i'n dwad i'w nabod ac i weld pethau cas ynddynt. Mae'n rhaid nad wyf yn treiddio trwodd i nabod Mari na Jeff. Na'm plant chwaith o ran hynny. Dilyn cynllun eu mam y maent hwy, ac eithrio weithiau pan ddaw un ohonynt yma am sgwrs. Erbyn hyn maent i gyd wedi priodi, ac anaml y gallaf ddisgwyl i'r un ohonynt daro i mewn eto. A rŵan, 'rwyf yn difaru na buaswn i wedi bod yn gleniach efo nhw, neu'n hytrach wedi bod yn fwy o ddysgl i dderbyn eu cyfrinachau nhw.

Mae priodas Gwyneth heddiw wedi bod yn mynd ymlaen ers wythnosau, y siopa a'r cerdded ôl a blaen heibio i'r parlwr yma, y siaradach a'r chwerthin yn y parlwr cefn, a neb yn dwad yma i ddweud dim wrthyf i. Ond mi ddaeth Gwyneth neithiwr yn ei ffrog i'w dangos i mi, ac mi gofiais innau y byddai hi'n dwad i ddangos pob ffrog newydd imi pan oedd hi'n hogan bach. 'Roedd hi'n hynod o hardd, ac fe ddaeth lwmp i'm gwddf. Ond diolch byth, ni raid imi dalu am briodas yr un ohonynt eto. Wrth reswm, yr oedd yn rhaid imi siarad heddiw, ac yr oeddwn i wedi paratoi rhyw bwt o araith ymlaen llaw: wedi meddwl gwneud hwyl am ben y syniad o briodas fel priodas yr oeddwn i, a dweud y byddai'n well i bawb fyw tali efo'i gilydd, yn lle'r holl stŵr, ac y byddai pobl yn hapusach wrth wybod y medrent ymadael â'i gilydd bryd y mynnent. Mi gafodd y llwnc destunwyr gymeradwyaeth frwd, ond pan alwyd ar dad y briodferch, " y dyn a roddai gymaint o enwog-rwydd ar yr ardal," mi gefais gymaint o glepian dwylo â sŵn iâr yn crafu mewn llwch.

Yna, mi ddigwyddodd rhywbeth rhyfedd. 'Roeddwn i wedi teimlo'n gas ers meitin, ac yn y dymer feddwl i ddweud pethau cas am briodas wrth weld y gŵr ifanc wedi meddiannu fy merch i'n barod. 'Roeddwn i wedi teimlo'n hapus wrth gerdded i lawr y llwybr rhwng y seti a Gwyneth ar fy mraich. Teimlo cynhesrwydd ei chorff hydwyth, helygaidd wrth fy ochr. Ond fe aeth hwnna wrth y bwrdd bwyd, a gweld y gŵr ifanc wedi ei meddiannu. Beth bynnag, cyn imi ddweud yr un gair o'r hyn y bwriadaswn ei ddweud, dyma rywbeth yn dwad imi, a 'fedrwn i gofio dim o'r hyn oeddwn i wedi'i baratoi. Dyma fi'n dechrau sôn am Gwyneth pan oedd hi'n hogan bach, fel y byddai hi'n prepian, mor glws oedd hi, mor chwith fyddai gennyf ei cholli. Siarad hollol lipa, a sŵn dagrau yn fy llais erbyn hyn; mi dewais gan ddymuno'n dda i'r ddeuddyn a hynny yng nghanol banllef o gymeradwyaeth. Yr oedd llygaid Gwyneth a'i mam yn disgleirio. Ni fedraf egluro'r peth o gwbl. Mae'n anodd dweud beth sy'n dwad â pheth i bwy, a phwy i beth. Mae fel neges oddi uchod at y saint ers talwm. 'Roedd

Jeff yn crychu'i dalcen fel petai o'n methu dallt. Mi redais adre cyn gynted ag y medrwn i'r parlwr yma. Mae'r lleill heb ddwad eto. Y munud yma mi fuaswn yn licio gweld Jeff yn galw i edrych beth a feddyliodd o o'r peth. Mi fuasai clywed gair gan y dylaf ar wyneb y ddaear yn rhoi cysur imi, i *mi* ni faliodd erioed beth a ddywedai neb amdanaf. Mae'n amlwg bod siarad yn glên yn rhoi mwy o boen i mi na siarad yn gas. Heddiw, 'rwyf wedi bod yn rhagrithio. Toc mi ddaw pawb adre, ac mi allaf i ddychmygu Mari a'r plant eraill yn dweud, "Tada, mi ddaru i chi siarad yn ardderchog." O Dduw, ni fedraf ddal peth felly. Mi a' i allan am dro.

* * * *

'Fedra i ddim credu fy nghlustiau. 'Does dim ond teirawr er pan oedd y Doctor a minnau allan am dro. Ymhen hanner awr wedi imi ddwad i'r tŷ dyma'r teleffôn yn canu a llais rhywun yn dweud bod y Doctor wedi cael strôc cyn gynted ag y daethai i'r tŷ. 'Roedd y meddyg wedi bod yno ac wedi dweud mai dyna ydoedd, ond nad oedd yn un drom iawn. Mi redais yno, ond wrth reswm, ni chefais ei weld. Yr oedd pawb oedd i lawr y grisiau yn siarad ar draws ei gilydd, a'r peth a glywn i amlaf drwy'r hwndrwd i gyd oedd, "Ac 'roedd o wedi siarad mor dda y p'nawn yma." Un oedd yn siarad yn wahanol, sef y brawd; 'roedd o mewn helynt yn treio cael gafael rywsut ar y pâr ifanc oedd ar eu ffordd i Lundain. Mae pethau rhyfedd yn digwydd.

Ar ôl imi fynd adre' o'r briodas, mi es draw i gyfeiriad tŷ'r Doctor. 'Roedd arna' i eisiau dweud wrtho mor dda oedd o wedi siarad yn y briodas, er efallai y buasai o yn cymryd bwyell at fy mhen. Nid dyna'i ddull o o siarad, ond yr oeddwn am fentro dweud wrtho fo, petasai o yn fy lladd i. 'Wyddwn i ddim sut y buasai yn fy nerbyn, ac yn fy nghyfyng gyngor, penderfynais droi'n ôl adre'. Ond pwy ddaeth allan o'r tŷ ond y Doctor: dyma fo'n brysio i'm dal ac yn dweud, "Mi awn ni allan am dro i'r wlad, 'rydw i wedi mygu yn y rhialtwch yna heddiw." Diwrnod tawel mwyn oddi allan, a'r Doctor yn ymddangos i mi yr un mor fwyn. Mwg yn mynd i fyny'n syth o'r simneiau ac o'r coelcerthi chwyn yn y gerddi, a'r tywydd yn glaear. Dyma'r Doctor yn dweud, "Mae p'nawn fel heddiw yn gwneud imi feddwl am gân Thomas Hardy, 'Yn amser dryllio'r Cenhedloedd,' a dyma fo'n dechrau'i hadrodd, â'r fath fwynder yn i lais, o gyfieithiad Cynan—

> "Dim ond mwg ysgafn heb fflam
> O domen y chwyn;
>
> . . . . .
>
> Acw dan sibrwd i'w dlos
> Daw llanc efo'i ferch . . ."

Mor wahanol i'r fel y byddai'n taranu yn erbyn cythreuliaid y capel. Adroddodd ddarnau o waith T. Gwynn Jones hefyd — Ynys Afallon. 'Roeddwn i wedi fy syfrdanu. A dyma fo'n mynd i sôn am lenyddiaeth, a dweud mor dda yr oedd y Beibl wedi'i gyfieithu, a dyfynnu o'r hen feirdd, pethau na wyddwn i ddim amdanyn' nhw. Minnau'n gwrando wedi fy nghyfareddu, ac wedi colli pob synnwyr o amser ac o'r milltiroedd yr oeddym wedi'u troedio.

Yn sydyn, dyma fo'n troi'n ôl, a dweud, "Waeth imi wynebu'r teulu yn fuan mwy nag yn hwyr, eu hwynebu nhw fydd raid. 'Rydw i'n gwybod y byddan nhw yn fy llyfu i am siarad fel y gwnes i y p'nawn yma." 'Roeddwn i wedi penderfynu nad oeddwn i ddim am sôn am y briodas. Ond dyma'r Doctor yn troi ata' i ac yn gofyn, "Beth oeddech chi'n feddwl o'r hyn ddwedais i?" "Meddwl ych bod chi'n . . . (bu agos imi ddweud 'doeth') dda iawn." "Oeddech chi?" "Wel oeddwn, mae'n rhaid inni weithiau fynd efo'r lli yn enwedig mewn priodas." "Rhaid, reit siŵr, ond i rywun beidio â dechrau rhyw hen arferiad gwirion. Trowch i mewn yr wythnos nesa' wedi i'r hwrli-bwrli yma fynd heibio."

Ac wrth droi at ei lidiart meddai o, "Nos dawch, Jeff" — y tro cynta 'rioed iddo fy ngalw wrth fy enw cynta'.

A rŵan dyma fo'n gorwedd yn ei wely ac yn methu siarad, a minnau'n gwneud dim ond meddwl — meddwl gan mwyaf am y deng mlynedd dwaetha' yma. 'Rydw i'n cofio'n iawn y tro cyntaf y siaradodd o efo mi — y stryd yn wag ryw noson, y fo a minnau'n digwydd cyfarfod â'n gilydd. Dyma fo'n stopio i siarad efo mi, a minnau'n ddim ond rhyw fymryn o ddyn hel siwrin heb gamu fawr ymlaen. Cofio'r ias o bleser wrth iddo siarad; 'fedrwn i ddweud fawr ddim. Cofio'r wefr pan ddwedodd o, "Cofiwch alw i 'ngweld i." 'Roeddwn i'n rhy swil i alw, ond ryw noson mi es reit i wyneb y Doctor wrth ei dŷ, a dyma fo'n fy ngwadd i mewn. 'Fedrwn i ddweud dim call; yr oeddwn yn baglu ar draws fy ngeiriau, ond medrwn wrando mewn afiaith ar y Doctor yn bwrw drwyddi ac yn lladd ar y bobl. Medraf ddweud hyn, beth bynnag, fy mod yn cytuno â'i refru ar y bobl oedd o yn eu rhefru. 'Roedd *o* wedi dallt eu hamcanion nhw, 'doeddwn i ddim, ac felly y gwelais i bethau ar hyd yr amser, gweld ei ddealltwriaeth o sefyllfaoedd ac amcanion pobl. 'Roedd o'n agor drysau na wyddwn i ddim amdanyn 'nhw yng nghymeriadau pobl, a minnau'n dyfod i weld mor glir â haul trwy dwll.

'Fedra i ddim diodde eistedd yn y gegin yma. 'Rydw i am fynd i lawr i'r White Horse.

Dyma fi'n ôl ac yn difaru f'enaid imi fynd. Ni ches ddim byd ond un weipen ar ôl y llall. Y peth cynta ges i oedd,

" Dyma fo wedi dwad atom ni heno. 'Does ganddo fo ddim Doctor i rwbio ynddo fo. 'Rydym *ni*'n ddigon da iddo fo heno."

Y gwaetha' oedd bod hynny'n wir, ond beth oedd hynny o'u busnes nhw? 'Doeddyn' nhw byth yn gwrando arna' i pan awn i yno o'r blaen, ond yr oeddwn i yn gwrando ar y Doctor. 'Doeddyn nhw byth yn dweud dim byd gwerth gwrando arno fo hyd yn oed pan fydden' nhw yn rhefru ar bobl. Rhefru ar bobl well na nhw'u hunain y bydden nhw.

Meddai un arall, " Doedd o'n gwneud dim ond lladd ar bobl y Cyngor Sir am dwyllo efo'u costau." " Mi'r oedd hynny'n wir," meddwn i. " Cwestiwn," meddai rhyw athro oedd yn disgwyl cael ei wneud yn brifathro.

" A 'roedd o'n lladd byth a beunydd ar bobl grintachlyd," meddai rhyw gybydd o ffarmwr, " a 'doedd o byth yn talu am rownd pan ddôi o yma." " Nac oedd," meddwn i, " doedd o ddim yn hael wrth bobl nad oedd o ddim yn eu licio." " Pam 'roedd o'n dwad yma ynte? " gofynnodd un arall. " 'Roedd o'n cymryd diddordeb mewn pobol," meddwn i.

Ac o bob dim, dyma giaridým, na wyddai mo'r gwahaniaeth rhwng seiat a chyfarfod bingo, yn dweud, " Ac mi edliwiodd i ryw flaenor yn y seiat fod hwnnw yn caru efo gwraig dyn arall ar y slei." " Mi 'roedd hynny'n wir hefyd," meddwn i.

Ac i goroni'r cwbl, dyma ryw fwystfil o ddyn oedd wedi bod o flaen ei well am guro'i wraig yn dweud, " Hen ddiawl cas ydi o."

Mi dewais a dwad adre heb ddim un llwnc, a synnu ataf i fy hun fy mod i wedi medru ateb y giwed yn ôl. Fe fu adeg pan na fedrwn wneud hynny. Yr oeddwn wedi dysgu rhywbeth wrth rwbio efo'r Doctor.

Rhoddais fy mhen ar y bwrdd a chrïo, wrth feddwl efallai

na chlywaf mohono'n piwsio neb byth eto. Ond mae gobaith. Nid ydyw geiriau cas y dynion yn y dafarn wedi mennu dim arnaf. Pleser i mi fydd cofio byth, p'run bynnag a fendia'r Doctor ai peidio, fod eu piwsio wedi cyplysu'r Doctor a minnau efo'n gilydd.

Y TRYSOR

AM y pedwerydd tro yn ei bywyd yr oedd Jane Rhisiart yn ceisio rhoi digwyddiadau'r bywyd hwnnw yn eu safle briodol. A hithau'n ddeuddeg a thrigain oed, yr oedd mwy ohono i'w osod yn ei le erbyn hyn, mwy o ddigwyddiadau a phersonau i'w symud a'u gwahanu a'u dosbarthu.

Y tro cyntaf y safodd i fyfyrio uwchben ei bywyd oedd pan oedd hi'n bymtheg-ar-hugain oed, y diwrnod ar ôl i Rolant, ei gŵr, ei gadael, digwyddiad a roes ysgytiad i ardal gyfan, ond nid iddi hi. Pan ddiflannodd Rolant efo'i gyflog un nos Wener tâl, nid oedd yn syndod mawr iddi. Dynes â llygaid i weled oedd hi eithr â gwefusau i gau yn dynn rhag i'w thafod siarad wrth bawb yn ddiwahaniaeth. Oherwydd ei natur ramantus, mae'n wir y cymerai amser i weled, ond pan welai, fe welai'n gliriach nag unrhyw realydd. Dyna pam y rhoes diflaniad ei gŵr fwy o sgytwad i'r ardal nag iddi hi. Dyna pam hefyd na wnaeth hi ddim i geisio dyfod o hyd iddo, na cheisio cael dim at ei chadw. Yr oedd yn well ganddi weithio ddengwaith caletach na chynt, hyd yn oed, na dioddef y creulondeb distaw, pryfoclyd a ddioddefasai gan Rolant ers blynyddoedd. Fe wyddai rhai o'i gyd-chwarelwyr am beth o'r creulondeb hwn; yr oedd yn amhosibl i'w bartneriaid, a thrwyddynt hwy, eu gwragedd, beidio â dyfod i wybod fod Rolant yn celcio'n afresymol o'i gyflog.

Yn yr argyfwng hwnnw, a oedd yn bell iawn erbyn hyn, cafodd hi gydymdeimlad ardal, ond nid oedd arni ddim o'i eisiau. Penderfynodd gadw ymlaen â'r tyddyn heb ofyn help plwy nac arall i fagu ei thri phlentyn. Ni bu hynny'n hawdd, nid oherwydd y frwydr yn erbyn tlodi bob amser—fe gaiff dyn dawelwch meddwl mewn tlodi yn aml—ond oherwydd Ann, y plentyn hynaf, a oedd yn ddigon hen yn ddeuddeg oed i sylweddoli ei cholled ar ôl diflaniad ei thad, am ei bod yn ffefryn ganddo, ac wedi ei defnyddio ganddo lawer gwaith yn erfyn yn erbyn ei wraig. Y bachgen, Wiliam, oedd ei ffefryn hi, a oedd yn ddeg oed ar y pryd, ac nid oedd Alis, chwech oed, yn ddigon hen i sylweddoli pethau.

Yr ail dro yr eisteddodd i synfyfyrio uwchben ei bywyd yr oedd ugain mlynedd yn hŷn, a'i phlant i gyd wedi priodi, a hithau'n gorfod sylweddoli fod pob un ohonynt wedi ei siomi hi drwy eu hunanoldeb. Ni wnaethai'r un ohonynt erioed osgo at roi unrhyw help ariannol iddi, yr hyn a allent yn hawdd. Ond nid hynny a roesai siom iddi, eithr eu hagwedd anniolchgar o gymryd a derbyn pob dim fel pe bai arni hi arian iddynt hwy ac nid fel arall. Ni ddangosodd yr un ohonynt, na Wiliam, hyd yn oed, yr un edrychiad o ddiolch nac o werthfawrogiad. Yn anffortunus, yr oedd y tri yn byw o fewn agosrwydd ymweld â hi bob dydd a manteisiasant ar hynny i'w phluo. Cymryd ei menyn a'i hwyau a thalu amdanynt weithiau, ac anghofio talu o bwrpas yn amlach. Hithau, oblegid hynny, wedi gorfod gofyn i'w chwsmeriaid chwilio am fenyn yn rhywle arall. Medrasai weddro'n well pan oeddynt yn fychain, na phan briodasant a chael cartref iddynt eu hunain. Ni chynigiai'r un ohonyn na'r yng-nghyfraith help llaw iddi ychwaith, ond pan fyddai arnynt hwy angen cymorth, ati hi y doent, ac am flynyddoedd bu hithau'n ddigon dall i'w roi.

Ond yr oedd ganddi gorff cryf ac iach, cymorth mawr i fagu annibyniaeth ysbryd.

Y trydydd tro y cymerodd ddarlun o'i bywyd oedd bum mlynedd yn ddiweddarach, newydd iddi symud o'r tyddyn i fwthyn bychan yn y pentref, ymhen ychydig fisoedd wedi iddi fynd yn ffrindiau â Martha Huws; a hithau'n drigain oed y pryd hynny. Dadrithiasid hi'n llwyr ynghylch ei phlant erbyn hynny; gwelodd nad oedd diben dal at y tyddyn er mwyn eu bwydo hwy a'u plant hwythau, a dioddef eu ffraeo a'u cenfigennu wrth ei gilydd. Gwelai y byddai'n llawn cystal arni ar chweugain yr wythnos mewn tŷ moel, ac yr oedd yn ddigon cryf i fynd allan i weithio os byddai raid. Mor llwyr y dadrithiasid hi, fel na chymerodd ei thwyllo gan Wiliam a geisiodd ei darbwyllo i fuddsoddi arian y gwartheg a'r stoc mewn rhywbeth y medrai ef ei gymeradwyo. Cadwodd ei chwnsel iddi hi ei hun, a rhoes yr arian yn y banc, wedi defnyddio digon ohonynt i wneud ei bwthyn yn glyd.

A dyma hi heddiw, yn ddeuddeg a thrigain, am y pedwerydd tro yn ceisio gosod digwyddiadau ei bywyd yn eu lle ac yn eu golau priodol, a hynny gyda chalon drom a hiraethus; nid mewn chwerwedd fel y troeon cynt. Gwnâi hynny mewn lle rhyfedd iawn, ar lan y môr, ddiwrnod trip yr Ysgol Sul. Bythefnos yn ôl buasai farw Martha Huws, ei ffrind ers deuddeng mlynedd; a'r tro hwn mor fawr ei galar fel na wyddai sut i ail-gydio yn ei bywyd ac ail-gychwyn. Yn wir, dyma alar dwfn cyntaf ei hoes hir. Aethai'n gyfeillgar â Martha Huws ychydig fisoedd cyn gadael y tyddyn, y dymuniad o fod yn nes i'w ffrind a wnaeth iddi benderfynu'n derfynol ymadael â'r tyddyn. Adwaenai hi er erioed, gwyddai iddi gael ei siomi yn ei chariad, stori ardal oedd honno, ac iddi fyned i Loegr i weini, a dychwelyd pan oedd hi tua phymtheg a deugain, i fyw i dŷ bychan ar ei henillion a'r pensiwn bychan a gawsai gan y teulu olaf y bu'n eu gwasanaethu. Ond nid oedd yn ddim ond cydnabod i Jane Rhisiart hyd onid aeth yr olaf i edrych am Martha Huws pan oedd yn wael. Ac o'r awr honno fe dyfodd y cyfeillgarwch. Canfu Jane Rhisiart y diwrnod hwnnw ddynes hollol wahanol i'r hyn y tybiasai ei bod; dynes a chanddi wyneb agored, deallus, llygaid gleision, hardd, pell oddi wrth ei gilydd a gwallt gwyn trwchus. Ni sylwasai ar hynny pan welsai hi ar gip yn y bws neu yn y siop. Medrai sgwrsio â hi'n rhwydd, gwaith nid hawdd i Jane Rhisiart, a phan ddywedodd y wraig glaf, " Dowch yma i edrach amdana'i eto," gyda'r fath daerineb cynnes, penderfynodd fynd. Sgwrsio'n rhwyddach yr eiltro na'r cyntaf. Erbyn i Jane Rhisiart fudo o'r tyddyn yr oedd sylfeini'r cyfeillgarwch i lawr a'r ddwy'n myned i mewn ac allan i dŷ y naill a'r llall. Oherwydd ei siomi gymaint o weithiau yn y rhai y rhoesai ei holl serch iddynt, ni ruthrodd Jane i arllwys ei chalon i'w ffrind, er mai un felly oedd hi'n naturiol. Ond gwyddai erbyn hyn beth oedd y dioddef a ganlynai hynny, pan ganfyddai na roddai'r derbynnydd ddim o'r serch yn ôl. Felly y bu am hir amser yn ymbalfalu ei ffordd yn dendar i galon Martha Huws, fel petai hi'n cerdded mewn twnel, ond taflodd personoliaeth Martha ddigon o oleuni o'r pen arall yn y man iddi fedru cerdded yn hy. Nid oedd y cyfeillgarwch heb ei anawsterau ar y cychwyn, ond rhai o'r tu allan oeddynt. Âi'r ddwy i dŷ'r naill a'r llall yn aml, ac ymhen y flwyddyn, yn anfwriadol ac yn ddifeddwl, fe'u caent eu hunain yn gweld ei gilydd ryw ben i bob diwrnod. O gyfeiriad plant Jane Rhisiart y deuai'r anawsterau. Yr oeddynt hwy a'u plant i mewn ac allan beunydd yn ei thŷ. Ni allai eu rhwystro. A phan ddigwyddai Martha fod yno, dalient i aros ac i siarad er gwaethaf crïo'r plant ac er gwaethaf tawedogrwydd y ddwy wraig. Yn wir, yr oedd Ann ac Alis a gwraig Wiliam fel petaent yn anelu at ddyfod ar y pnawniau pan ymwelai Martha â Jane. Ond byddai'n rhaid iddynt fynd adref i wneud swper chwarel i'w gwŷr. Os gyda'r nos y deuai Martha, byddai Wiliam neu wŷr Ann ac Alis yn siŵr o ddyfod yno. Deuid tros yr anhawster hwnnw drwy i Jane fyned yn amlach i dŷ Martha. Ni ddeuent yno, ond unwaith fe lwyddodd Wiliam ar gynllun i fynd i nôl ei fam yno, ar esgus fod arno eisiau ei gweld ar fater pwysig. Ni lwyddodd i'w chael allan oddi yno yr eiltro. Wedyn aeth Wiliam mor bell â cheisio diddyfnu ei fam oddi wrth Martha drwy awgrymu pethau gwael am yr olaf, megis nad oedd wybod beth fuasai ei bywyd pan oedd yn Lloegr. Wedi'r cwbl, pam y gadawsai ei meistr arian iddi yn ei ewyllys a phensiwn. Medrodd Jane wneud iddo edrych yn bur wirion pan ddywedodd mai dynes ac nid dyn oedd ei chyflogydd. Ond, petasai fel arall, ni wnaethai ddim gwahaniaeth iddi erbyn hyn. Yr oedd yn rhy hoff o Martha i adael i unrhyw ddigwyddiad yn y gorffennol fennu arni. Y cwbl y medrai'r merched ei edliw iddi oedd "nad oedd waeth iddynt hwy heb â dyfod i edrych amdani rŵan, gan fod y Martha Huws yna yno bob tro."

"Dydi hi ddim yma bob dydd na thrwy'r dydd," oedd ateb eu mam. Caent ddrws clo yn aml pan âi'r ddwy ffrind am dro neu pan âi Jane i ymweld â Martha, a thynnai hynny hwynt oddi ar eu hechel. Aeth Wiliam cyn belled unwaith ag edliw i'w fam ei bod yn gwario'r arian a oedd ganddi wrth gefn i grwydro efo dynes na wyddai ddim beth oedd ei hanes. Atebodd hithau fel bwled, y byddai'n ddigon buan iddo edliw hynny iddi pan ddeuai hi ar ei ofyn ef am rywbeth at ei chadw, a'i bod yn gobeithio medru eu gwario i gyd cyn marw rhag iddynt achosi mwy o wenwyn nag oedd yn bod yn barod rhwng y tri. Yr oedd diddordeb Wiliam yn y swm bychan yma o arian yn y banc yn fawr. Awgrymasai lawer gwaith i'w fam y buasai'n cychwyn rhyw fusnes bach neu fagu ieir petai'r arian ganddo i gychwyn, a'i fod wedi laru ar y chwarel. "Ia wir," fyddai ei hateb hithau, "biti na basat ti wedi medru hel pan oedd arian i'w gael hyd lawr." Ei hasgwrn cefn i'r atebion hyn oedd ei chyfeillgarwch â Martha. Ac wrth eistedd i lawr a dadelfennu'r cyfeillgarwch hwnnw o bryd i'w gilydd gwawriai arni mai ei sylfaen ydoedd siarad a dweud. Ni chawsai hi neb erioed o'r blaen a fedrai ymateb yn ddeallus i'r hyn a ddywedai wrthynt. Dywedai rywbeth wrth gymdoges. Ni chymerai honno unrhyw ddiddordeb neu fe ddywedai rywbeth dwl, diddim. Ond o'r cychwyn gyda Martha câi ateb yn ôl a ddangosai ddeall a diddordeb. A dyna ddechrau sgwrs, a dechrau deall ei gilydd, a dechrau cyfeillgarwch. Er hynny, aeth cryn dair blynedd heibio cyn i Jane fedru torri'r garw a medru siarad am Rolant. Nid ef oedd y peth uchaf ar ei meddwl ar y pryd. Aethai ei ddiflaniad yn beth oer ac amherthnasol, ac ni fedrai sôn amdano gydag unrhyw deimlad yn y byd, na thristwch, na chwerwedd na hoffter. Yn wir, ymddangosai peth o'r hanes yn ddigrif erbyn hyn, megis ei bod hi'n gwybod yr hyn na wyddai'r chwarelwyr, sef bod Rolant wedi defnyddio'i gelc i chwyddo arian ei gasgliad mis yn y capel, a'i wneud ei hun yn destun hwyl i lawer am fod ei gyfraniad bron cyn uched ag eiddo'r siopwyr a'r stiwardiaid. Medrodd Martha sôn am ei charwriaeth hithau, ond nid gyda'r un manylrwydd, oblegid yr oedd elfen o dristwch yn yr hyn na chyrhaeddodd ei gyflawniad. Cael gweledigaeth sydyn, rhywbeth tebyg i broffwydoliaeth, na fedrai fyw gyda'i chariad a wnaeth Martha, gweld yn araf ac yn drwyadl a wnaeth Jane. Ond yr hyn a hoffai Jane ym Martha ydoedd ei bod yn dweud nad oedd arni eisiau sôn amdano. A'r hyn a hoffai Martha yn Jane oedd ei bod yn deall hynny.

Aent am dro i'r mynydd yn aml, yr hyn a osododd stamp odrwydd arnynt i'w cymdogion. Nid oedd y mynydd yn ddim iddynt hwy ond rhywbeth a groesai eu gwŷr i'r chwarel a rhywbeth a oedd yn arwydd glaw pan ddôi niwl i lapio'i gorun. Ond ni flinai Jane a Martha ei ddringo, a'r peth mawr oedd cael stelc yn y grug, a sgwrs, 'paned o de o fflasg a theisen o bapur. Y sgwrs oedd y peth mwyaf. Pan aent am dro i Landudno neu Fae Colwyn, cerdded strydoedd a llygadrythu yn ffenestri'r siopau, deuai uchafbwynt y diwrnod pan aent i dŷ bwyta a chael pryd iawn o fwyd cyn cychwyn adref, a siarad. Ni fedrasai'r un o'r ddwy wneud hyn â neb arall o'r blaen. Synient erbyn hyn mai dyma'r unig ffordd y gellid goddef bywyd bellach, siarad am eu profiadau, nid profiadau'r gorffennol, nid oedd bywyd yn y rheini, ond eu barn a'u teimlad tuag at ddigwyddiadau'r dydd, yn eu pentref ac yn eu gwlad, ac ar yr hyn a ddarllenent. Nid cystwyo ieuenctid heddiw â phastwn ymddygiad da eu hieuenctid hwy a wnaent, ond llawenhau iddynt hwy gael byw mewn oes brafiach. I ieuenctid yr ardal yr oeddynt yn destun chwerthin efo'u dulliau hen ffasiwn o fynd am dro, o wisgo mor blaen, o fyw mor urddasol, ond fe synasai'r bobl ieuainc hyn gryn dipyn pe gwybuasent fod y ddwy yn partïo'r bywyd modern mewn un peth. Pan aent i ffwrdd am y diwrnod, byddai gan y ddwy ychydig bowdr yn eu bagiau i dynnu'r sglein oddi ar eu trwynau ar ôl yfed te rhy dda.

Ond yr oedd hynyna i gyd drosodd erbyn hyn, a Jane ar ei phen ei hun yn y trip Ysgol Sul. Bythefnos cyn hynny, yn hollol sydyn gadawsai Martha'r byd a fuasai mor llawn iddi am ddeuddeng mlynedd. Yr oedd Jane efo hi y noson gynt, a thystiai ei bod yn edrych yn llwyd a blinedig a chynigiodd aros yno efo hi. Ond nis mynnai ei ffrind. Bore trannoeth fe'i cafwyd yn farw yn ei gwely. Dymchwelodd y byd i Jane am ddyddiau. Heddiw, ar lan y môr, medrai edrych yn dawelach ar ddigwyddiadau'r pythefnos diwethaf, er ei bod hi'n cofio o hyd fod ei ffrind gyda hi ar y trip y llynedd. Gweai ei hatgofion yn gymysg â lliwiau dillad y plant a chwaraeai ar y traeth ac â'r miliynau perlau a ddawnsiai ar y môr ac a ddisgleiriai ar y tywod. Fe gawsai drysor yng nghyfeillgarwch Martha, trysor dilychwin, yr unig beth dilychwin yn ei bywyd, ac ni fedrai neb ei ddwyn oddi arni. Fe dorrwyd y llinyn cyn iddo gyrraedd i'r pen. Ond pwy oedd i ddweud ym mha le y gallasai'r pen fod? Efallai (ond ni fedrai feddwl am y peth), y gallasai rhywbeth ddigwydd a allai wneud y trysor hwn yn llai dilychwin.

Daeth y gweinidog ati ac eistedd ar y cerrig. Siaradodd ar draws ac ar hyd, ac yn y diwedd dywedodd yn reit ddihitio, fel petai newydd feddwl am hynny, " Mi fydd yn reit chwith i chwi ar ôl Martha Huws, yn bydd? " Ni fedrai ef na neb arall ddeall mai dyma alar dyfnaf ei bywyd. Yr oedd ar fin dweud wrtho, dweud maint ei hiraeth a maint ei gorhoffedd yn y ffrind da a gawsai am ddeuddeng mlynedd. Yr oedd arni eisiau bwrw hynny wrth rywun, er mwyn cael dweud. Ond cofiodd am y sbonc a roesai ei chalon yn y Seiat y noson gynt pan ddywedasai rhyw blentyn yr adnod, " A'i fam Ef a gadwodd yr holl eiriau hyn yn ei chalon," adnod na roesai funud o sylw iddi erioed. Na, ni fedrai fynegi ei hangerdd wrth y gweinidog am yr hyn a gollasai. Wrth Martha'n unig y gallasai hi ddweud am y golled a gawsai drwy ymadawiad ei ffrind.

Y MUL

" I BLE mae mulod yn mynd yn y gaea', nhad? "

Gollyngodd y Parch. Lias Elias y *Goleuad* i lawr yn sydyn ar ganol darllen hanes y Gymdeithasfa.

" Wyddwn i ddim eu bod nhw'n mynd i nunlle yn y gaea'. "

" Wel ydyn', 'dydyn' nhw ddim ar lan y môr yn y gaea'. I ble maen' nhw'n mynd? "

" I'r capel ac i'r Senedd am wn i."

A chwarddodd y tad yn uchel. Yr oedd Jonathan wrth ei fodd. Dyna'r tro cyntaf iddo weld ei dad yn chwerthin yn uchel fel hyn ers tro byd. Yr oedd wedi bod â'i ben yn ei blu ers talwm. Yr oedd hi'n nos Wener heno, ac nid oedd ganddo gyhoeddiad at y Sul nesaf. Aeth Jonathan ymlaen.

" Beth mae mulod yn ei wneud yn y Senedd a'r capel? "

" Siarad."

" Hew, fedar mul ddim siarad."

" Mi fedar nadu."

" 'Doedd fy mul bach i ddim yn nadu ar lan y môr yn yr ha'."

" Na, mi'r oedd o'n rhy gall ac yn dallt pethau'n well."

" Oedd, mi'r oedd o'n gwybod yn iawn ym mhle i stopio."

" Ym mhle? "

" Wrth y stondin hufen rhew, a wnâi o ddim symud nes câi o gorned."

" A chditha yn rhoi un iddo fo."

" Ia, mi fyddwn i wrth fy modd yn ei weld o yn codi'i weflau wrth ei fyta fo."

“ A chditha yn rhoi un arall iddo fo.”

“ Naci, mi’r oedd o’n barod i ail-gychwyn wedyn, a mi fyddai’n aros amdana’i bob dydd, yn fy nabod i’n iawn.”

“ Ella, ond mae o’n nadu ar rywun weithiau.”

“ O, dydach chi ddim yn nabod yr un mul â fi. Mi faswn i’n licio cael mul bach go iawn at y Nadolig.”

“ Ym mhle basan ni yn ei gadw fo? ”

“ Yn y cwt rhawiau yng ngwaelod yr ardd.”

“ Ym mhle’r rhown ni’r rhawiau? ”

“ Yn y cwt glo.”

“ Fasai dy fam ddim yn licio hynny.”

“ Sbïwch, nhad, fasai raid i chi ddim torri’r lawnt, mi fasai’r mul yn i phori hi i chi.”

“ Mi *fasai* hynny’n help. Ond mi fasai yn gwehyru ac yn nadu yn y nos.”

“ Mi fedren i ddysgu o i beidio.”

“ Fedri di byth gau ceg mul.”

Ar hynny canodd cloch drws y ffrynt, a daeth blaenor o Gapel Bryn Llaith i mewn. Cododd calon Lias Elias. Cyhoedd-iad? Ie. Yr oedd y blaenor yn dipyn o gyfaill iddo, cyfeillgarwch blaenor a gweinidog o eglwysi cyfagos. Dechreuodd y blaenor dipyn yn grynedig.

“ Mi ddweda i wrthoch chi be sy gen i. ’Rydan ni heb bregethwr at y Sul, ac mi glywais ych bod chi heb gyhoeddiad a meddwl ella y basech chi’n dwad acw i lenwi’r bwlch.”

Ni frysiodd Lias i ateb.

“ Ydw, mi’r ydw i heb gyhoeddiad, ond ” — a stopiodd.

“ O cymerwch o, nhad,” meddai Jonathan wrtho’i hun, “ i mi gael siawns i gael mul.”

“ Ond,” aeth y tad ymlaen, “ ’rydw i wedi mynd yn hynod ddigalon.”

“ *Mae* hi’n ddigalon,” ebe’r blaenor, “ mae cynulleidfaoedd wedi mynd yn fychain, ond mi gewch gynulliad go dda ym Mryn Llaith, yn enwedig yn y nos."

"O, 'dydi hynny ddim yn fy mhoeni fi. Fasai ddim ods gen i tasai yno ddim ond chwech, petawn i'n cael dweud beth fynnwn i, a'u bod yn fy nghredu fi."

"Meddwl yr ydach chi am yr hyn fu yn Nhrosafon?"

"Sut y clywsoch chi?"

"O, mi'r oedd y stori yn dew ac yn denau ar y pryd. 'Roedd sôn bod un o'r blaenoriaid wedi bygwth ych hitio chi."

Chwarddodd Elias. "Na, 'doedd hi ddim cyn waethed â hynny. Ond 'cha'i byth fynd yno eto."

"Sôn am Hitleriaid. Maen' nhw yma ym mhobman."

"Ydyn. Ond nid ar ddyn ei hun maen' nhw'n effeithio. Maen' nhw'n achosi poen i wraig a phlant."

"O penderfynwch," meddai Jonathan wrtho'i hun eto.

"Wel, mi ddo'i."

Rhedodd Jonathan i'r gegin i ddweud wrth ei fam. Wedi i'r blaenor fynd, bu yno gryn dipyn o siarad yn y gell — y wraig yn ceisio darbwyllo'i gŵr i beidio â chodi gwrychyn y gynulleidfa drwy sôn am Gymdeithas yr Iaith, a'r gŵr yn dal allan fod yn rhaid iddo bregethu'r gwir. Hithau yn ei atgoffa fod dweud y gwir yn digio llawer.

"'Dydi neb yn ennill dim wrth gadw'r ddysgl yn wastad," meddai yntau, "ond mae dyn yn ennill lot wrth ddweud y gwir."

"Ella, ac yn colli lot. Colli lot o lonyddwch meddwl."

"Ydi. Ond mae eisio goleuo pobol. Goleuni ydi'r peth mwya sydd arnyn nhw'i eisio."

Cydwelai'r wraig.

"Mae o'n beth anodd iawn i'w ddysgu."

Yr hyn oedd wedi digwydd yng Nghapel Trosafon ychydig

fisoedd yn ôl oedd fod Elias wedi canmol dewrder Cymdeithas yr Iaith Gymraeg wrth sôn am ddifaterwch pobl yn gyffredinol. Gwelodd wrth wynebau rhai o'i gynulleidfa ei fod wedi eu cythruddo; fe arhosodd rhai ar ôl a dyfod i'r sêt fawr ar ddiwedd y bregeth, a'i gyhuddo o bregethu gwleidyddiaeth.

"Naddo," meddai yntau.

"Beth ydi Cymdeithas yr Iaith ond politics?" meddai un blaenor.

"Ddim o gwbl. Diwylliant ydi iaith."

"Peth yn perthyn i blaid ydi o," meddai un arall.

"Naci, peth yn perthyn i fyd addysg ydi o. Yn yr ysgolion mae dysgu iaith, nid yn y Senedd. Peth arall, petai o'n perthyn i'ch plaid chi fasech chi'n dweud dim. 'Rydach chi'n hollol anwybodus."

Cofiodd y gweinidog am ei ffrind Dafis, ysgolhaig mawr, yn dweud rywdro mai anwybodaeth oedd pechod mwyaf y byd heddiw. A dyma enghraifft deg ohono.

Beth bynnag, ni chafodd gyhoeddiad ganddynt at y flwyddyn wedyn. Teimlai'n anhapus hollol y noson honno. Bob nos Sul wedi pregethu deirgwaith a theimlo'n flinedig byddai'n dyfod adref yn hapus gan edrych ymlaen at ei swper a chael ymlacio wrth y tân a sgwrsio efo Hannah a Jonathan, heb feddwl fawr am ddim. Holai ef ei hun y noson honno, a oedd yn werth dweud y gwir ac aberthu noson o gysur.

Yr oedd yn hynod falch ei fod wedi cael cyhoeddiad yng Nghapel Bryn Llaith, er mai cyhoeddiad i lenwi bwlch ydoedd. Eto ni allai weld Hannah a Jonathan yn byw heb ryw bethau bach a rôi lawenydd iddynt tua'r Nadolig. A oedd yn bosibl dweud y gwir i gyd yn y bywyd hwn, a phob amser?

Yr oedd am bregethu'r un bregeth eto y tro hwn, ond ni wyddai eto a soniai am Gymdeithas yr Iaith. Câi weld beth fyddai naws y gynulleidfa. Yr oedd hi'n gynulleidfa dda, yn ymddangos fel petai'n gwrando yn ddeallus. Pan ddaeth at y sôn am bobl ifainc, cyfarfu ei lygad â llygad y blaenor a ddaethai ato i ofyn iddo fynd, ac fe welodd rywbeth tebyg i *Peidiwch* ynddo. Ac yn hollol sydyn dyma fo'n dweud:

"Rhaid inni edmygu'r bobol ifainc yn y colegau sy'n protestio ac yn helpu'r hen bobol yn eu tai a chyda'u gwaith."

Bu agos iddo stopio a'i longyfarch ei hun am gyfaddawdu. Gwelodd wên ar wyneb y blaenor.

Cyn mynd allan y noson honno daeth llawer ato i ddiolch am ei bregeth. Teimlai yntau ei fod wedi cael hwyl. Dywedodd un hen wraig:

"Diolch i chi am ganmol y bobol ifanc sy'n *sistio* ac yn helpu hen bobol." (Gobeithiai fod rhai eraill wedi gwneud yr un camgymeriad efo'r *protestio.*)

Diolchodd y blaenoriaid yn gynnes iddo — y bregeth orau a gawsant ers talwm. Yr oedd yntau mor falch iddo fedru cyfaddawdu mor ddeheuig, er ei fod yn teimlo yn llwfr. Aeth adref yn llawen, mewn llonyddwch meddwl, chwedl Hannah. Mwynhaodd ei swper o gig oer a betys a phwdin reis. Yr oedd y tân hyd yn oed yn fwy siriol, a pheth braf oedd eistedd yn ei sliperi o'i flaen.

"Sut hwyl, nhad?"

"Reit dda."

"Ddaru i chi eu digio nhw?"

"Naddo."

"Ddaru i chi ddeud am Gymdeithas yr Iaith?"

"Do a naddo. Wnes i mo'u henwi nhw."

Chwarddodd Jonathan a'i fam.

"Mi'r ydach chi'n un ciwt."

"Mi fuom heno."

Yr oedd Jonathan wrth ei fodd yn gweld ei dad yn chwerthin.

"Mam, mi faswn i'n licio cael mul byw at y Nadolig."

" Be' wnei di â pheth felly? "

" 'Roeddwn i'n licio'r mul bach hwnnw ar lan y môr yn yr ha'. Mi fasa'n pori'r lawnt ac yn sbario gwaith i nhad."

" Ac mi fasa'i bedolau o yn tyrchu'r lawnt. A pheth arall, mi fasa'n rhaid cael cae iddo fo bori. Rhaid iddo gael bwyd."

" Ond mi gâi beth yn ei gwt."

" Twt, rhaid iddo fo gael mwy na bwyd mewn cwt. Rhaid iddo fo gael rhyddid. Fedar o ddim byw yn y cwt yna ddydd a nos, yn gwehyru."

" Ac yli di, Jon," meddai'r tad, " mi fasai yn rhoi lot o waith iti i fwydo fo a phethau felly. Mi fasai'n well iti gael ci o lawer."

" Ga'i i un byw? "

" Cei. Mae yna gi bach eisio cartre efo'r plismyn rŵan."

Siriolodd Jonathan drwyddo.

" Mi ddweda i beth wnawn ni efo'r mul. Mi gei di a fi wneud pasiant at yr ha', a'i alw fo'n ' Y mul trwy'r oesoedd.' Mi gawn ni ddigon o ddeunydd o'r Beibl. Yr asyn a gariodd Joseff i'r Aifft, heb anghofio'r asyn a gariodd Iesu Grist i Gaersalem. A dwad yn nes adre, yr oedd y mul yn cario pynnau o flawd o'r siop i'r tyddynwyr drigain mlynedd yn ôl, a chan mlynedd a hanner yn ôl yn cario llechi o'r chwareli i'r porthladdoedd i'w rhoi ar y llongau i fynd â nhw dros y môr. 'Roedd dynion hefyd yn gweithio'n galed y pryd hynny, a fasen' nhw byth yn ymosod ar y pregethwr. 'Roedd ganddyn' nhw asgwrn cefn."

" Yn lle rhown ni o, Y Pasiant? "

" Mi fyddan wrth eu bodd ei gael o yn y pentre yma. Mae eisio arian at rywbeth o hyd."

" Gawn ni ddechrau yfory, nhad? "

" Aros nes bydd y Nadolig drosodd."

" Ond mi ga' i'r ci bach 'fory, yn caf? "

" Cei. Meddylia beth fydd rhoi cartre da i gi bach digartre. Nadolig llawen iddo fo."

Wrth fynd i gysgu meddyliodd y Parch. Lias Elias: Gwyn dy fyd di, blentyn diniwed, yn medru siarad am fulod mor gariadus.

GWACTER

MEDI 8:

Brysio golchi llestri cinio a John yn fy helpu. Edrych allan drwy'r ffenest, gweld awyr las glir a chael syniad. Meddwl yr hoffwn fynd allan i eistedd i'r ardd cyn newid. Mae arnaf eisiau rhoi gorffwys i'r meddwl, ac mae'r dyhead wedi fy meddiannu. Ar dân eisiau gweld John yn cychwyn i'r ysgol er mwyn imi gael mynd.

Mae fy meddyliau ormod ar du blaen fy nhalcen, ac mae arnaf eisiau eu gyrru'n ôl fel na byddaf yn meddwl am ddim. Eistedd yn llygad yr haul â'm pen yn ôl a mwynhau munud diddim. Ond nid am hir. Nia yn dwad allan efo'i gwaith gwnïo; mae hi'n paratoi i fynd i'r coleg am y tro cyntaf, ac yr wyf wedi diflasu ar y gêr gwnïo o gwmpas y gegin orau, yr 'oglau cotwm a'r defnyddiau newydd. Ni chaf lonydd.

" Am beth ydach chi'n meddwl, mam? "

" Trio peidio â meddwl yr ydw i."

" Amhosib."

" Am beth wyt ti'n meddwl? "

" Meddwl mor braf fydd hi yn y Coleg."

Euthum yn ddistaw. Gwelodd hithau ei chamgymeriad.

" Wrth reswm, mi fydd arna'i hiraeth ar ych ôl chi i gyd."

Ar hyn dyna sŵn traed ar y llwybr. Margiad fy ffrind oedd yno. Ta, ta am lonyddwch.

" Dyma ryfeddod " oedd ei geiriau cyntaf.

" Rhyfeddod beth? "

" Dy weld ti yn gorweddian yn yr ardd heb newid."

" Eisio llonydd oedd arna'i."

" A dyma finnau'n torri arno fo."

" Mi gafodd Nia y blaen arnat ti."

" Mae'n ddrwg genni, mam."

'Dwn i ddim beth sydd arna i y dyddiau yma. Mae rhyw gryndod yn fy mrest, a theimlaf fy mod yn cael fy rhwystro ymhob dim, methu cael yr hyn sydd arnaf ei eisiau.

" Tyrd i fyny i'r dre," meddai Margiad.

" 'Does genni fawr o flas."

" Tyrd, ella y cawn ni fargen wrth y stondin lestri."

" 'Does arna i ddim eisio bargen."

" Beth sy'n bod arnat ti, a chdithau mor sgut am fargen."

Beth pe taswn i'n deud wrthi fod rhyw deimladau rhyfedd yn dwad imi y dyddiau yma, byth ers mis yn ôl pan gefais fy mhenblwydd yn hanner cant. Ni fedraf ddweud wrth John hyd yn oed. Yn y llofft medrwn grïo. Gorweddais ar y gwely am eiliad a gwrthwynebu mynd i'r dre efo Margiad.

Ni welsom ddim bargeinion ar y stondin lestri, ond fe gefais lemonau yn rhad. Mynd i'r siop bysgod a phrynu pysgod i de. Difaru cyn gynted ag y gwneuthum, gweld gwaith ffrïo. Yn y siop, gwraig y tu ôl imi yn dweud, " Wedi imi brynu pob dim, fydd genni'r un ddimai i brynu sigarets." Nid yr un peth sy'n poeni pawb.

Erbyn mynd adre, Mai, ffrind Nia, wedi galw a mwy o lanast gwnïo yn y gegin orau. Rhwystr eto, a phoen. Bydd yn rhaid imi ofyn i hon aros i de, a gorfod rhoi llai o bysgod i bawb. Dweud wrth Nia am glirio'r lanast a'm helpu i hwylio te. Hi yn oedi ac yn dal i siarad a chwerthin efo'i ffrind. Finnau'n plygu'r gwaith gwnïo a mynd â fo i'r parlwr mewn tymer.

" Bedi'r brys? "

" Rhaid i'r te fod yn barod erbyn y daw dy dad i'r tŷ."

Mai yn hwylio i gychwyn a Nia yn dweud wrthi am aros i

de. Gallwn ei hitio am fod mor ddifeddwl. John yn dwad i'r gegin bach a rhoi ei fraich dros fy ysgwydd. Minnau'n rhoi winc arno.

" Nia sydd wedi gofyn, nid y fi."

" Hen dro, llai o bysgod i bawb. Cofia di am dy siâr."

Rhoes John y platiau gwydr yn y popty i gynhesu a dechrau torri brechdan. Mae o'n haeddu te da. Cawsom deisen 'falau gynta'r tymor ar ôl y pysgod. Pawb yn canmol. Mai yn mynd cynta y cafodd hi de.

" 'Doeddwn i ddim yn gwybod fod gynnoch chi bysgod ne faswn i ddim wedi gofyn i Mai aros," ebe Nia.

" Dy fam gafodd y siâr leia fel arfer."

Nia yn mynd allan. John a finnau yn eistedd wrth y tân ar ôl golchi llestri.

" 'Rwyt wedi cynhyrfu am rywbeth," meddai John.

" Gweld Nia yn ddifeddwl."

" Mae hi'n waeth na difeddwl. Mae hi'n hunanol."

" 'Does dim yn iawn rywsut y dyddiau yma."

" Hitia befo, mi gawn y tŷ i ni'n hunain ymhen sbel."

MEDI 9:

Gair oddi wrth Gwyn y mab efo'r post heddiw, yn dweud ei fod yn priodi y Pasg. Eleni y dechreuodd o ar ei waith fel athro. Ni chafodd y newydd ddim effaith arnaf. John o'i go', yn gweld Gwyn yn priodi cyn dechrau ennill bron. Nia'n dweud mai mewn rhyw ddawns yn Llandudno y gwelodd o hi gynta, pan oedd o yn y Coleg. " Mae hi'n dawnsio'n fendigedig," meddai hi. John yn chwerthin dros bob man.

" Fedar hi ferwi ŵy? " gofynnodd.

Y fi yn penderfynu na phoena i ddim. Y fo dewisodd hi, nid fi, ac ni fydd yntau yn poeni dim os na fedr hi olchi'i grys o.

Medi 15:

Y ddarpar wraig, Ethel, yn dwad yma i de. Modrwy ag un garreg am ei bys. Mi'r oedd gan Gwyn gelc felly. Yr oedd hi'n gwisgo trywsus lliw gwin a blows gwyn digon blêr. Sandalau am ei thraed a choesau noeth.

"Sut ydach chi bawb?" meddai hi pan gyrhaeddodd, fel petasai hi'n ein nabod er erioed.

"Mae'n ddrwg genni ddwyn Gwyn oddi arnoch chi. Ond ran hynny, mi fasa'n rhaid i rywun i ddwyn o, wedyn 'waeth y fi mwy na rhywun arall. Mae Gwyn yn hen foi iawn — dipyn yn swil, ond mi ddaw dros hynny ar ôl inni briodi."

Gwyn yn cochi, a'r gweddill ohonom ni fel 'tasem ni'n methu gwybod beth i'w wneud. Yr oedd un peth yn dda: nid oedd raid i neb chwilota beth i'w ddweud nesa.

"Mae gynnoch chi fwyd da. Rhaid i minnau fynd ati hi i ddysgu rŵan; mae yna ddosbarthiadau nos reit dda yn lle'r ydw i yn byw. Ond 'dda genni ddim gwneud gwaith tŷ."

"Y lolan," meddwn i wrthyf fy hun. Ond mae hi'n onest os ydi hi'n dweud y gwir. Gwyn yn edrych yn annifyr. John yn ei ddyblau yn chwerthin.

Medi 16:

Meddwl am ddoe, a dechrau poeni. 'Roedd o'n ddigri ddoe, ond yn boendod heddiw. Margiad yn galw. Dweud yr hanes wrthi.

"Paid â phoeni yn i cylch nhw. Gad iddyn' nhw ferwi'i potes i hunain."

"Edrach ymlaen i'r dyfodol yr ydw i, a gweld Gwyn yn dwad yma i ofyn am help."

"Gad iddo fo ddiodde tipyn. Mae gormod o bobol heddiw yn poeni ynghylch i plant, yn lle gadael iddyn' nhw ddiodde' i cosb am i ffolineb i hunain. 'Dwn i ddim beth ydi'r hen ofn yma i'w plant ddiodde. 'Doedd ar neb ofn i ni ddiodde ers talwm. Ella y try hi allan yn well nag wyt ti'n i feddwl."

Teimlo dipyn gwell wedi i Margiad fod.

MEDI 17:

Penderfynu gyrru Gwyn ac Ethel allan o'm meddwl. John eisiau i mi fynd efo fo i Ffrainc dros yr hanner tymor. Dim eisiau mynd. Cofio am yr ias o bleser a roddai hyn i mi ychydig flynyddoedd yn ôl. Ei weld o'n beth mawr y pryd hynny. Peth bach dibwys erbyn hyn. Edrych ymlaen at fynd i'r dre rhag ofn y caf weld M.C. Ei gweld hi a mynd am goffi. Dweud yr hanes wrthi, hithau'n chwerthin ac yn dweud:

" Mae hi'n swnio'n hen beth joli braf. 'Waeth iti befo os nad ydi hi'n lân. 'Wnaeth tipyn o faw 'rioed ddrwg i neb. Mi ddaw Gwyn i arfer efo fo."

" Mi eill fynd i'r eitha arall yr un fath â Mrs. Huws, Cadach Llawr, sydd yn sychu ôl troed pawb ddaw i'r tŷ."

Gweld synnwyr yn y peth. Dechreuodd hithau ladd ar bobl. Byddaf wrth fy modd yn ei chlywed. Y dwytha yw X.Y.

" Yr hen sguthan," meddai, " wedi rhoi tri chan punt am fodrwy rŵan, a phobol yn llwgu hyd y byd."

Byddaf wrth fy modd yn ei chlywed yn dweud ' hen sguthan,' a 'rydw i'n siŵr na ŵyr hi ddim beth mae sguthan yn i feddwl. Teimlo yn ddigalon wedi iddi fynd. Y gryndod yma yn dwad yn ôl i'm brest. Ofn i John fynnu cael mynd i Ffrainc.

MEDI 18:

Penderfynu mynd i weld nhad a mam yr wythnos nesa, heb eu gweld ers tro. Mae'r penderfynu ei hun wedi rhoi gwefr imi. Synnu fod peth mor fychan yn rhoi pleser i mi, mwy o lawer na meddwl am fynd i Ffrainc.

MEDI 19:

Mynd i'r capel. Pregeth gysurlon am dreialon yr Apostol Paul. Gwyddai beth oedd derbyn gwialen ar ei gefn, plygu dan gawod o gerrig. Bu'n wael mewn twymyn ac annwyd. Cafodd ei erlid a'i garcharu. Ond oherwydd ei ymlyniad i Grist, ei ffydd, ei obaith a'i gariad, cafodd fuddugoliaeth yn ei fywyd, a throi pob profiad yn fendith.

Teimlaf yn well

MEDI 20:

Diwrnod golchi. Wedi rhoi fy nghas ar y peiriant golchi, h.y., ar ei lanhau ar y diwedd. Mynd â'r dillad i'r olchfa gyffredin. Rhyw ddyn yn dangos imi sut i roi'r pres i mewn ag ati. Gwraig ifanc tua 20 oed a llwyth yno a phlentyn tua dyflwydd efo hi. Y fam yn smocio pan oedd y dillad yn mynd trwy'r olchfa. Yn falch fy mod i wedi mynd wrth feddwl na raid imi sychu'r peiriant. Wedi gorffen yn fuan. Gwneud teisen i Nia wedi dwad adre.

MEDI 21:

Nia yn mynd i'r Coleg. Cael pas efo un o'i ffrindiau yn ei char. Teimlo'n chwith wrth ei gweld yn cychwyn, ond y hi wrth ei bodd, yn addo sgwennu cynta y medr. John a minnau wrth y tân heno, y lle yn unig. John yn mynd allan i bwyllgor, minnau yn cael un o'r pyliau yna a gaf o hyd, tyndra, ofn a chryndod yn fy mrest. Ofni'r daith fy hun i dŷ nhad a mam rŵan. Eisiau mynd ar fy mhen fy hun, felly, gorfod mynd efo trên a bws. Ofn i'r trên fod yn hwyr ac imi golli'r bws ym M—.

MEDI 23:

Dim gair oddi wrth Nia.

Medi 24:

Dim gair eto heddiw.

Medi 25:

Dim gair heddiw chwaith.

Medi 26:

Sul eto. Bedyddio babi bach yn y bore. Yr oedd yn gwenu'n hoffus ar y gweinidog. Minnau'n meddwl beth fyddai ei ddyfodol tybed. Pa dynged fydd iddo?

Medi 27:

Llythyr o'r diwedd gan Nia. Pedair llinell yn dweud ei bod wedi cyrraedd a'i bod yn brysur. Addo llythyr hir y tro nesa.

Medi 28:

Mynd i weld nhad a mam. Fy nghalon yn codi. Methu gweld y trên yn cyrraedd ddigon buan. Meddwl y bydd yn siŵr o ddal y bws. Gorwedd yn ôl yn gysurus yn fy sêt, a mwynhau peidio â meddwl am ddim. Cnoi fferins. Tair dynes yn dyfod i mewn. Un mewn tipyn o oed, yn dal ac yn osgeiddig, y ddwy arall yn dew ac yn ganol oed, yn siarad i hochr hi. Yn amlwg yn trin a thrafod rhyw wraig arall. Gwrando yn awchus. Yn amlwg mai newydd ddyfod i fyw i'w pentref neu dref yr oedd y wraig a drafodid, ac yn athrylith ar roi blas enwau ar bobl. Teimlo yr hoffwn ei hadnabod. Dyma un o'r ddwy wraig yn dweud,

"Mae'n siŵr fod gynni hi ryw flas enw arna inna."

"O na," meddai'r llall, yr awdurdod ar yr un absennol, "mi'r ydach chi yn Mrs. Jones *hyd yn hyn.*"

Y wraig dal yn y gongl a minnau'n chwerthin. Cefais fy nal gymaint yn rhwyd y stori, fel yr anghofiais am y bws. Cael a chael ei ddal a wneuthum.

Croeso mawr pan gyrhaeddais y tŷ. Nhad a mam ar ben y drws, wedi clywed y bws. Cael fy lapio yn eu gwenau croesawus. Cinio wedi ei osod yn barod. 'Oglau lobscows da dros y tŷ. Nhad yn rhoi ei gadair i mi. Dechreuais grïo dros bob man wrth weld y fath groeso. Y ddau yn edrach ar i gilydd yn syn. Minnau'n difaru gwneud y fath ffŵl ohonof fy hun, a phoen cydwybod yn dwad i mi. Fy ngweld fy hun wedi eu hesgeuluso cyd a chennym ninnau gar. Ond yr unig esgusion oedd gennyf, oedd fod y plant yn ei fenthyca drwy fis Awst a chymaint o drafnidiaeth ar y ffyrdd.

" Beth dâl dy newydd di? " gofynnodd nhad.

Dyma finnau'n dweud hanes Gwyn.

" Plant yn priodi, bobol," meddai mam. " Oes rhywbeth yn i deng ewin hi? "

" Mae arna'i ofn nad oes dim, mae mwy yn i thraed hi." Dyma mam yn edrych yn boenus fel y bydd hi pan glyw hi ryw newydd fel yna.

" Wyt ti yn poeni? Mae golwg wael arnat ti."

" Na, 'dydw i ddim yn poeni ynghylch hynna. Ella y byddan nhw reit hapus. Ond mae rhywbeth yn bod arna i." A dyma fi'n dweud fy hanes.

" Cer i weld y doctor," ebe nhad.

Y munud hwnnw y daeth y syniad imi a daeth sbonc i mi wrth feddwl. Medrais fwynhau sgwrsio drwy'r p'nawn. Cael hanes yr ardal. Pwy oedd yn sâl. Pwy oedd wedi priodi. Pwy oedd yn caru. Ond y newydd rhyfedda' gefais i oedd bod cyfnither i mi dros ei hanner cant oed yn mynd i briodi efo dyn deg a thrigain, y ddau yn ddibriod. Rhai yn priodi rhy ifanc a'r lleill yn rhy hen.

Llithrodd y prynhawn heibio, a minnau'n fy mwynhau fy hun wrth hel straeon yn nhawelwch y gegin a gweld cymaint oedd fy ymweliad yn ei olygu iddynt. Dim eisiau brysio yma.

"Diolch iti am ddwad. Diolch iti am ddwad, a thŷd yn fuan eto."

Minnau'n meddwl peth cyn lleied oedd wedi rhoi hapusrwydd iddynt, ac mor ddi-feind y bûm am fisoedd. Nid oeddwn ddim gwell na Nia. Hiraeth mawr yn y trên. Ond caf fynd i weld y meddyg yfory.

DWY FFRIND

SAFWN â'm dau benelin ar fwrdd y ffenestr yng nghegin orau fy ffrind Nanw, yn edrych allan i'r wlad. Yr oedd yn ddiwrnod oer yng nghanol gaeaf ond yn ddiwrnod clir, heulog, golau. Yr oedd digon o wahaniaeth rhwng llinell copa'r bryniau a'r awyr uwch eu pennau, a digon o amrywiaeth lliw ar eu hwynebau — golau ar y gwrymiau a chysgodion yn y tolciau. Oddi draw deuai sŵn caled, eglur, hitio pêl. Sŵn genethod yr ysgol yn chwarae hoci ydoedd, a gallwn weled lliwiau gwahanol eu blowsus yn rhedeg groes ymgroes tu ôl i frigau noeth y coed wrth redeg ar ôl y bêl.

Cerddai Nanw yn ôl a blaen rhwng y gegin orau a'r gegin fach yn hwylio te. Ceisiwn gael cip ar ei hwyneb heb iddi hi sylwi ar hynny. Dyna paham y daliwn i edrych drwy'r ffenestr. Nid ymweliad cyffredin â'm ffrind oedd hwn heddiw. Clywswn ychydig amser cyn hyn fod y rhyfel wedi dweud yn arw ar amgylchiadau Nanw, a'i bod hithau o'r herwydd yn dechrau mynd yn od; a dweud y gwir, " dechrau drysu am ei synhwyrau " oedd geiriau'r sawl a ddywedodd wrthyf. Ni ruthrais i edrych amdani. Gadewais i newydd-deb y newydd wisgo tipyn er mwyn i mi fy hun fedru bod yn naturiol yn ei chwmni; oblegid nid peth hawdd yw ymddwyn yn naturiol efo rhywun sy'n dechrau mynd yn od. Penderfynais hefyd gynnig help iddi os medrwn wneud hynny mewn ffordd ddi-dramgwydd. Cymerwn arnaf wylio'r plant yn chwarae, a thrown fy ngolygon at Nanw i ddweud rhywbeth wrthi. Y peth a welwn amlycaf yn ei mynegiant heddiw oedd bodlonrwydd a thawelwch. Gallwn ei weled ar ochr ei hwyneb, wrth iddi ddal y bara ar fforch i'w grasu wrth y tân. Yn ystod yr ugain mlynedd o'm hadnabyddiaeth ohoni, ni welais erioed wyneb a allai newid mor sydyn o dristwch i lawenydd, o ddicter i fwynder, o fwynder i ddicter. Ond yr oedd rhyw dawelwch fel petai wedi dyfod i aros yno erbyn heddiw.

" Mae hi'n braf ar y plant acw," meddwn i, gan ddal i syllu drwy'r ffenestr.

" Pam? "

" Wel, am eu bod nhw'n blant, am wn i."

" Lol i gyd. Mae pawb yn meddwl bod pob plentyn yn hapus, dim ond am ei fod o'n blentyn."

" Mi goelia i *fod* y rhan fwya ohonyn' nhw."

" Dim o angenrheidrwydd. Amser cas, creulon ydi o, fydda i'n meddwl, yn enwedig i blentyn a chanddo bersonoliaeth. Ac os oes personoliaeth gan y rhieni, dyna iti wrthdarawiad a chlewtan."

" Mae'n rhaid nad oedd gen i 'run bersonoliaeth felly."

Aeth ymlaen heb geisio lliniaru ei gosodiad.

" Ond mi ddweda' i un peth iti, Morfudd, 'rydw i'n teimlo'r dyddiau yma, er gwaetha'r holl siarad meddal yma am blentyndod, mai dyna'r unig beth sefydlog yn fy mywyd i."

" Sut yn hollol? "

" 'Rydw i'n teimlo ar hyn o bryd mai dyna'r unig adeg ar fy mywyd i pan mai fi oeddwn i. Cofia, 'does arna'i ddim hiraeth ar ei ôl."

" 'Chlywais i 'rioed 'siwn beth."

" 'Rydw i'n teimlo ers talwm iawn 'rŵan mai rhywun arall ydw i, ac mai'r fi iawn oedd y fi cyn imi ddechrau crwydro'r gwledydd."

“ ’Dwyt ti ddim wedi crwydro llawer.”

“ Naddo, ond mi eill ceffyl wrth gorddi gerdded reit bell, ac anghofio o b’le y cychwynnodd o.”

Gadawodd y frechdan grasu a daeth at y ffenestr.

“ Ond mae gweld y plant acw’n chwarae yn beth reit dlws,” ebr hi, ac ar hynny dechreuodd chwerthin.

“ Edrych, Morfudd, edrych, wir, ar y ddwy hen wraig acw.”

“ Ym mh’le? ”

“ Dacw nhw yn mynd ar hyd y llwybr.”

Gwelwn ddwy wraig yn symud yn araf heibio i gae’r ysgol. Ni allwn ddweud pa mor hen oeddynt; eithr, a barnu oddi wrth eu dillad llaes a’u cerdded araf, meddyliwn nad oeddynt yn ifanc.

“ O diar,” meddai Nanw, “ dyna iti ddwy hen wraig ddoniol. Mae’r hyna’n siŵr o fod rywle rhwng pedwar ugain a deg a phedwar ugain. A’r ’fenga’n tynnu am ei phedwar ugain. A maen’ nhw’n mynd am dro efo’i gilydd fel yna bob dydd.”

“ Chwarae teg iddyn’ nhw.”

“ Ia, mae’n amlwg bod y tro yma’n ddigwyddiad mawr iddyn’ nhw, neu mi fuasent wedi diflasu. Mae’r hyna’ o’r ddwy yn cerdded â’i phen i lawr fel petai hi’n wynt mawr o hyd ac yn siarad gymaint fyth, ac mae’r llall yn cerdded yn dalog â’i phen i fyny.”

“ Â’i phen yn y gwynt felly? ”

“ Na, mae hi’n rhy hen i hynny, ond yn gwbl ddihitio; yn sbïo o’i chwmpas, a’r hen wraig yn dweud rhyw stori. Wyddost ti,” meddai Nanw’n sydyn, “ mi fydd arna’i flys ofnadwy stopio i wrando stori’r hen wraig, fel y bydd rhywun mewn trên weithiau yn ysu gan awydd darllen papur ei gyd-deithiwr.”

“ Ydi stori’r hen wraig mor ddiddorol â hynny? ”

“ Mi alla’i ddychmygu ei bod hi. Rhyw dameidiau fel hyn fydda’ i’n i glywed: ‘ Ydach chi’n gweld, ’roedd o wedi anfon arian i mi mewn llythyr, ac mi rois y llythyr dan fatres y gwely, ac erbyn i mi fynd yno drannoeth, 'doedd o ddim yno.' 'Nag oedd, nag oedd,' meddai'r llall, mor ddihitio â phetai'r hen wraig yn dweud ei bod wedi colli pin."

"Ella mai wedi clywed y stori gannoedd o weithiau yr oedd hi."

"Wel, 'dwn i ddim. Mi fyddwn yn clywed peth fel hyn dro arall: 'Y peth fydda i'n ddweud bob amser ydi, y dylai rhywun gymryd cod-liver oil at annwyd.' 'Dylai, dylai,' meddai'r llall gan edrych i fyny at awyr-blân. A bob tro y byddwn i'n pasio — a chofiwch, mi fyddaf yn eu pasio bob dydd — dyna lle byddai'r hen wraig hen yn dweud rhywbeth reit ddiddorol, ac ni chlywais y llall erioed yn dweud dim ond 'Ie, ie' neu 'Nag oes, nag oes' neu rywbeth fel yna."

"Am fywyd, yntê?"

"Ie, a mi fyddwn i bron torri ar fy nhraws o eisiau gwybod stori'r hen wraig. Mi fuasai'n fwyd i mi, fel darllen nofel bron. 'Rydw i wedi mynd i deimlo bod yna fydoedd diddorol iawn tu ôl i ddrysau cymdogion."

"Digon gwir, ond busnesa yw i bobl eraill agor y drysau."

"Wel, mi eill hynny fynd â meddwl rhywun oddi wrth ei bethau ei hun."

Codais fy nghlustiau. Daeth gwên ryfedd dros wefusau Nanw.

"'Rydw i'n siŵr bod yr haul yn taflu patrwm brigau'r coed ar draws eu cotiau 'rŵan," meddai, a chan dynnu llenni'r ffenestr at ei gilydd:

"Beth am de? 'Rydw i'n barod amdano fo."

"A finnau."

A dweud y gwir, yr oedd meddwl yn y trên am fynd i dŷ Nanw yn rhoi pleser mawr i mi, ac efallai, petawn i'n mynd at waelod achos y pleser hwnnw yn onest, mai'r unig beth a'm symbylai i ymweled â hi oedd yr amheuthun hwnnw o gael pryd o fwyd heb orfod ei baratoi fy hun. A meddyliwn cyn i Nanw olau'r lamp, wrth edrych ar y tân yn taflu'i olau ar goesau'r bwrdd ac ar wyneb y dresel, a gweld y llestri te'n disgleirio, mor braf y buasai pe daethwn i gymowta'n unig.

Wrth fwyta'r frechdan grasu dda, tybiais y byddai'n well imi ddweud fy neges, neu fe ddeuai amser trên.

" Ydi'r rhyfel yma wedi effeithio'n fawr arnat ti, Nanw? "

" Arna' *i*? "

Gwelais fy nghamgymeriad wrth ofyn y cwestiwn fel yna, a chochais.

" Wel, ar dy amgylchiadau di felly? "

Trodd ei phen at y tân.

" Wel," meddai hi'n araf, " mae'n bosibl i boen ynddo'i hun sefrio a di-deimladu teimladau rhywun, fel na theimla ddim rhagor oddi wrtho fo. 'Rydw i'n teimlo fel petawn i'r ochr arall i gwmwl, ac nad ydi'r cwmwl yn effeithio dim arna'i erbyn hyn, er ei fod o yno o hyd. 'Rydw i rywsut wedi ei adael ar fy ôl."

Sylwais ar ei hwyneb, y tro cyntaf imi gael golwg berffaith glir arno y prynhawn hwnnw. Yr oedd ynddo fwy o dawelwch nag a welais erioed.

" Da iawn," oedd yr unig beth a adawodd fy syndod imi ei ddweud.

" Wyddost ti," meddai, " mi fydda i'n meddwl llawer am fy hen deidiau a'm hen neiniau y dyddiau yma."

" Diar annwyl, 'dwyt ti 'rioed yn eu cofio *nhw*? "

" Nag ydw. Ond mi glywais ddigon amdanyn' nhw fel y buaswn yn eu 'nabod petaent yn cerdded i'r ystafell yma 'rŵan. Yn wir, mi fydda' i'n treio cael ganddyn' nhw ddweud rhagor o'u hanes wrthyf."

Bu agos imi dagu. Aeth ymlaen.

" 'Rydw i'n teimlo'u bod nhw'n perthyn yn agosach imi o lawer na pherthnasau nes."

" O! "

" Ydw. 'Dwn i ddim pam. Ond mi fydda' i'n cofio fel y buon' nhw'n diodde. Gweithio o olau i olau am ychydig bach o arian. Cerdded milltiroedd at eu gwaith. Dim cloc i wybod pryd i gychwyn. Fe aeth rhai ohonyn nhw at eu gwaith erbyn hanner nos yn lle chwech y bore oherwydd hynny. Bwyd gwael, anniddorol. Dillad hyll, digon cynnes efallai. A dim ond swllt neu ddeunaw yr wythnos o'r plwy i'w gweddwon, a hwythau wedi marw'n ifanc wrth weithio'n hir ar fwyd gwael. Mi glywais am wragedd gweddwon yn llwgu ac yn rhynnu ar eu dogn o'r plwy."

" Wel, ie, ond 'wydden nhw am ddim byd gwell."

" Gwydden'. Mi wydden' fod yna ffasiwn beth â gorffwys i'w gael i rai pobl. Ond mi aethon i'w beddau heb wybod fawr amdano."

" Mi gawson' wybod wedyn."

" Paid â bod mor galed wrth dreio bod yn glyfar."

" Faint well wyt ti o deimlo fel arall at rywun sydd wedi marw ers can mlynedd? "

" Ond mae eu gwaed nhw yn rhedeg yn ein gwythiennau ni."

" Wel, ydi, ac mae eu poen nhw wedi peidio â bod."

" Ydi; ac mi fydd ein poen ninnau wedi peidio â bod i'n disgynyddion ni ymhen can mlynedd eto. Mi fyddan hwythau lawn mor greulon tuag atom ninnau."

" 'Dydi hynny ddim o'r ods i ni 'rŵan."

" Nac ydi, am na wyddom ni ddim amdano fo, ond *mi* wyddom am galedi ein cyn-dadau. Ac yr ydym yn greulon wrth anghofio'r gorffennol."

Daethai rhywfaint o'r hen sŵn gwrthryfelgar i'w llais.

Yn lle taeru tewais, ac fe'm heliais fy hun i gychwyn.

" Diolch yn fawr iti am ddwad i edrych amdanaf," meddai

wrthyf yn y drws, a'r tawelwch yn ôl ar ei hwyneb erbyn hyn. Ni chynigiodd ddyfod i'm danfon at y trên.

Euthum innau adref â'm cynnig yn fy mhoced ond fy mhen yn llawn o feddyliau rhyfedd.

TEULU

EISTEDDAI Ela yn y gegin fach a llond bwrdd o fwyd o'i blaen, mwy nag a welsai ers blynyddoedd, platiad o ham, platiad mawr o fara ymenyn, a hwnnw'n fenyn ffarm, a dysgliad o salad a oedd bron yn rhy dlws i dorri iddo. Daeth rhyw hapusrwydd rhyfedd i'w chalon o weled yr haul yn taro ar y cwbl, hithau'n cael gorffwys ar ôl cerdded tair milltir o'r stesion, a chael gorffwys wrth fwyta pethau amheuthun nas cawsai ers blynyddoedd. Mor hapus y teimlai fel y trodd bob tamaid yn hamddenol yn ei cheg, torri'r ham yn fân. Cymerai amser i roddi ei chyllell drwy ei brechdan, a synfyfyriai'n braf wrth ben y cwbl gan anghofio'r hyn a ddaethai â hi yno, gan anghofio sylw awgrymiadol John ei gŵr, a fuasai'n rhincian yn ei meddwl drwy gydol y daith yn y trên. O'r gegin orau, deuai sisial, ambell besychiad isel ac ambell ochenaid, y cwbl yn ddianghenraid fel y gwyddai, a distawrwydd ar eu hôl; o'r cae gerllaw, bref dafad gwynfannus a distawrwydd ar ei hôl hithau.

Clywai Lisi Jên, ei chyfnither, yn cerdded i'r lobi ac yn siarad yn ddistaw â rhywun yn y fan honno. Yna, clywai hi'n dyfod yn ôl ac i'r gegin fach, a dyna dorri ar ei myfyrdodau hithau.

" Ydach chi wedi gorffen, Ela? Mae ar Mrs. Jones eisiau clirio'r bwrdd cyn i'r gweinidog gyrraedd," yn reit chwyrn a stiwardlyd.

Llyncodd Ela y jeli heb ei fwynhau a chododd y gwrid i'w hwyneb. Ie, dyma hi, yr un Lisi Jên, ni fedrai angau na dim arall dynnu'r stiwardio ohoni. Daeth Mrs. Jones, y ddynes helpu, yno i glirio'r bwrdd a rhoi winc ar Ela, ac aeth hithau i eistedd i'r gegin orau gan deimlo fel pe bai'n cerdded i mewn i gyfarfod pregethu chwarter awr yn hwyr. Yno o gwmpas yr ystafell eisteddai ei theulu i gyd, yn fodrybedd, ewythredd, cefndyr, cyfnitherod, brodyr a chwiorydd, neiaint a nithod, yn edrych ar ei gilydd ac arni hithau fel pe na welsent ei gilydd erioed. Yn y gadair freichiau wrth y tân eisteddai Lewis Tomos, gŵr Lisi Jên, â'i ben ar un ochr fel ci. Gyferbyn ag ef eisteddai Dewyth Enoc, yn cnoi baco, â sug yn rhedeg hyd ei farf, a golwg hollol ddihitio arno. Y ddau'n edrych i'r tân. Gorweddai'r gath tu mewn i'r ffender. Dyma'r unig bethau y gellid eu gweled yn eglur. Yr oedd pawb arall mewn hanner tywyllwch. Daliai Lisi Jên i gerdded ôl a blaen i'r gegin fach a syllu ar y cloc wrth fyned heibio. Troes Ela'n reddfol i edrych ar y cloc, ac yr oedd yn chwarter wedi un arno. Tri chwarter awr arall o syllu ar ei theulu! Daeth sylw John yn ôl iddi â mwy o fin. Ceisiasai ei berswadio i ddyfod efo hi i gladdu ei modryb.

"Na, 'ddo'i ddim," meddai yntau'n bendant. "Cnebrwng ydi'r lle y mae rhywun yn gweld 'i deulu."

Nid atebodd hithau, oblegid gwyddai beth fyddai ei hateb: "Fy nheulu i ydyn' nhw ac nid dy deulu di."

Gwyddai nad hi a gâi'r gair olaf er y câi'r gair olaf ond un. Felly tawodd. Ffrae fyddai'r diwedd os âi ymlaen, ac yr oedd myned ar daith ar ôl ffrae yn waeth na myned ar daith i wynebu un.

Dechreuodd sylw awdurdodol Lisi Jên am iddi frysio droi yn ei meddwl yn hollol yr un fath ag y troesai sylw John yn y trên, ei ymlid a'i droi'n wir yr un pryd. I beth oedd eisiau iddi frysio dros y bwyd da hwnnw a thri chwarter awr o amser i aros?

"Cadwch lai o sŵn efo'r llestri yna," Lisi Jên yn snapio eto ar Mrs. Jones. Yr hen gnawes iddi! Yr oedd yn rhaid iddi gael stiwardio ar rywun. Dim rhyfedd fod Lewis Tomos yn gwar-grymu'n barhaol erbyn hyn. Nid oedd waeth iddo heb nag ymsythu. Yr oedd yn llai o drafferth dal y gwar yn barod i dderbyn y warrog. Nid yn unig edrychai fel ci yn y fan honno wrth y tân, ond fel ci wedi cael cweir.

Canai'r tegell yn ddiog ar y pentan a chanai'r gath y grwndi, mor gartrefol â phe bai ei modryb yn fyw ac yn eistedd yn y gadair freichiau. Sisialai rhai o'r teulu a eisteddai ar y soffa, a dywedodd ei Modryb Beca: " Tewch " reit uchel.

Daeth eisiau chwerthin ar Ela. Beth pe byddai'n rhaid iddi wneud rhag ffrwydro? Câi dafod iawn gan Lisi Jên wedyn reit siŵr. Efallai mai hynny fyddai orau, er mwyn iddi gael bwrw ei bos allan, a gorffen â'r holl dymer ddrwg a grynhoai'r tu mewn iddi er pan wnaeth John y sylw hwnnw am ei theulu. Ond byddai'n beth ofnadwy ffraeo mewn cynhebrwng, er mai dyna'r lle enwog am hynny. I ba beth y daethai i gladdu ei modryb ni wyddai, ac ni wybuasai ei modryb, yr unig un yr hoffasai ei phlesio, ped arosasai gartref. Beth a wna i bobl fyned i gladdu ei gilydd? Parch, dyletswydd, cydymdeimlad? Ni fedrai hi ddweud ynglŷn â'i modryb. Arferiad o fyned i gladdu teulu efallai. Ni theimlai unrhyw alar; yr oedd yn berffaith siŵr o hynny, ond galar o weled yr hen bethau yn myned heibio, a hithau bob tro y deuai i gladdu un o'i theulu yn gweled rhan o'i hieuenctid ei hun yn myned i lawr i'r bedd gyda hwy. Nid oedd waeth iddi heb na phendroni, ni châi ateb, ond yr oedd y pendroni'n help iddi rhag clywed y distawrwydd trwstan, annaturiol a lanwai'r ystafell.

Yr oedd y cloc yn cnocio fel gordd tu ôl iddi, rywle yn asgwrn ei chefn. Cloc Thomas John Cilgerran yn Uffern. Byth! Byth! Felly y parhai'r distawrwydd hwn. Byth! Byth! Daeth ochenaid eto, yr un ag a glywsai o'r gegin fach.

Trodd ei phen i weled pwy ydoedd. Dewyth Lias. Pwy a fuasai'n meddwl? Yr hen greadur! Ond efallai mai ochneidio am weled torri ar y distawrwydd yr oedd yntau ac nid ar ôl Deina ei chwaer.

Cofiodd eiriau ei mam am rywun na faliai ar ôl y marw: " Rhoth hi ddim ochenaid ar i ôl o." Nid oedd eisiau ochneidio ar ôl Modryb Deina a hithau wedi cael byw mor hen. Ond nid oedd yno neb i ochneidio ond Lisi Jên, ac mi fyddai hi, yr unig blentyn, yn daclus iawn ar ei hôl. Croeso iddi ar ei harian, meddyliai Ela, gan na newidient le yn y banc. Pa bryd y deuai'r pregethwr i roi taw ar gloc Thomas John?

Daeth gwenynen feirch o rywle ac eistedd ar farf Dewyth Enoc, a'r eiliad nesaf poerodd yntau sug baco yn stremits ar draws y pentan gloyw.

" Pam na drychwch chi i le'r ydach chi'n poeri? " meddai Lisi Jên.

Ond ni chlywodd Dewyth Enoc mohoni, a diolchodd Ela am gymaint â hynny o dorri ar y tawelwch. Yr oedd ar fin dweud rhywbeth, pan deimlodd, yn hytrach na gweled, ddau lygad disglair Nesta, ei nith, a wenai arni oddi ar y soffa. A diolchodd, o waelod ei chalon, am rywbeth a'i rhwystrodd rhag torri allan i weiddi.

Ar hynny, daeth y gweinidog a dechreuwyd y gwasanaeth. Dyn ifanc ydoedd nad adwaenai mo'i modryb ond ar ddiwedd ei hoes. Yr oedd ei lais yn fwyn, ei fynegiant yn glir, a hyfryd i Ela oedd clywed " Dyddiau dyn sydd fel glaswelltyn," er na weddent i'w modryb, a oedd ymhell dros ei phedwar ugain. Buasai ei dyddiau hi fel derwen bron, ac wrth feddwl hyn, y meddyliodd gyntaf er pan gyraeddasai am y sawl a oedd yn yr arch yn y llofft.

Yr oedd arni flys cael sefyll yno a chanu moliant yr hen wraig, pan ddiolchai ef i Dduw am ei ffyddlondeb yn y capel.

Nid y capel oedd ei hoffter hi, eithr ei thŷ a'i dillad. Fe hoffai ganu moliant i'w harddwch fel y cofiai hi ddeugain mlynedd cyn hynny. Cofiai ddau beth yn arbennig. Dyfod ar draws ei modryb yn ddiarwybod a hithau'n godro yn y beudy, yn eistedd ar y stôl dan y fuwch, ei sgert yn agor allan fel gwyntyll oddi wrth ei chorff hardd, a hithau â'i phen yn nhynewyn y fuwch, fel pe bai'n gwrando ar y llaeth yn disgyn i'r piser. Meddyliai ar y pryd fel yr hoffai dynnu ei llun yn yr ystum fyfyriol honno, a meddwl tybed a oedd rhywbeth yn ei phoeni pan edrychai felly. Dro arall cofiai gael mynd i eistedd i'w sêt yn y capel, a'i modryb yn gwisgo siwt newydd, las. Het las â phluen wen arni a'r bluen ysgafn yn disgyn dros yr ymyl ac yn mwyn-eiddio cryfder ei hwyneb. Cofio ei haml gymwynasau a'i charedigrwydd tuag ati hi bob amser. Cofio. Cofio — yr hyn na wyddai'r gweinidog.

Aeth i deimlo'n ddagreuol pan ddarllenai: " Oherwydd rhaid i'r llygradwy hwn wisgo anllygredigaeth, ac i'r marwol hwn wisgo anfarwoldeb." Y gair " llygradwy " a wnâi iddi deimlo felly bob amser. Cofio ei modryb yn ddynes weddol ieuanc. Cofio ei llun fel Nesta yn awr, a chofio amdani hi ei hun yn ieuanc a dyma hi'n awr ar y llithrigfa anniddorol honno rhwng canol oed a henaint. Ond yr oedd heddwch yn y meddyliau hyn. Meddyliau trist oeddynt, yn llifo dros ei hymwybyddiaeth heb rincian.

Wrth fynd allan o'r tŷ gafaelodd ym mraich Nesta, ei nith, ac aeth i'r un cerbyd â hi, er gwaethaf gorchmynion yr ymgymerwr. Nid oedd waeth ganddi am yr anhrefn a achosai. Rhoes ei braich drwy fraich Nesta, a glynodd wrthi hyd at lan y bedd am mai hi a ddaeth â'r mymryn goleuni i'r gegin orau dywyll gynnau.

" Pryd ydach chi'n priodi, Nesta? "

" Ymhen y mis."

" Gobeithio y byddwch chi'n hapus, wir."

" Rhaid i chi ddim pryderu, mae Alun yn gariad i gyd."

" Gobeithio y pery o felly at lan y bedd."

Yr oedd yn ddrwg ganddi, cyn gynted ag y daeth y gair dros ei gwefus. Pa hawl oedd ganddi hi i awgrymu siom canol oed i eneth ifanc ar drothwy ei nefoedd? Ac un mor hoffus â Nesta, na welid fyth wg ar ei hael na chrychni ar ei thalcen. Ac yr oedd wedi brifo'r un na chymerasai'r byd am ei brifo. Fel yna y digwyddai bob amser — brifo rhai annwyl ganddi.

Yr oeddynt yn ôl o'r fynwent wrth y bwrdd te, a phawb yn siarad, yn union fel pe bai ymadawiad y marw wedi rhoddi trwydded iddynt. Edrychai Dewyth Enoc ar ei blât a bwytâi heb stopio, a'i farf yn codi i fyny fel y cnoai ei geg ddi-ddannedd y bwyd; a phan siaradai, siaradai wrtho ef ei hun, fwy neu lai, gan ei fod yn drwm ei glyw, a neb yn trafferthu ei ateb. Ond dyma dân-belen oddi wrtho:

" Be' ddigwyddodd i gariad cynta Deina, hwnnw y bu hi'n i ganlyn am y fath flynyddoedd cyn priodi Wmffra? "

" Paid â chodi crachod ar ddiwrnod cnebrwng dy chwaer," oddi wrth Modryb Beca.

Ond ni chlywodd Dewyth Enoc. Aeth yn ei flaen.

" Mi roedd hwnnw yn hogyn smart, da — "

Gwaeddodd Modryb Beca ar uchaf ei llais yn ei glust:

" I be' rwyt ti'n codi crachod ar ddiwrnod cnebrwng dy chwaer? "

" Codi crachod! Nid codi crachod ydi sôn am ffrae cariadon. Codi crachod faswn i'n galw sôn amdanyn' nhw petae' nhw wedi ymadael â'i gilydd ar ôl priodi."

Gwgodd Modryb Beca, a sisial dan ei hanadl:

" A'r pregethwr yma a chwbl."

Ond yr oedd y pregethwr yn mwynhau'r cyfan.

Dyma'r tro cyntaf i Ela glywed hanes y cariad nas priododd Modryb Deina.

" Beth ddaeth rhyngddyn' nhw, Dewyth Enoc? " gofynnodd Ela yn uchel.

" Clywch ar honna eto, yn gyrru'r cwch i'r dŵr," meddai Modryb Beca.

" 'Dŵyr neb beth ddaeth rhyngddyn' nhw. Ond mi glywais i achlust mai wedi dweud celwydd yr oedd y bachgen yna wrthi hi, a'i bod hithau wedi ffeindio, a mynd i feddwl y buasai o'n gwneud rhywbeth gwaeth na dweud celwydd ar ôl priodi."

" Ac yr oedd hi'n iawn," meddai Lisi Jên, o deimlad dros ei thad, " achos mi dwyllodd y ddynes ddaru o briodi dan ei thrwyn, ac mi ymadawsant â'i gilydd."

" Na, marw wnaeth o," oddi wrth ei modryb Beca.

Troes Ela i edrych ar Nesta i weled pa effaith a gâi hyn arni, ond yr oedd hi fel yr heulwen o hyd.

Yr oedd Ela ar fin gofyn am ychwaneg, ond ystyriodd mewn pryd y tro hwn y gallai hynny frifo rhywun.

Ocheneidiai Dewyth Lias, yr ieuengaf ohonynt.

" Neno'r tad, be' sy ar Lias yn ocheneidio o hyd? " meddai Modryb Beca.

Ac am y tro cyntaf fe siaradodd Dewyth Lias:

" Rydw i'n ych gweld chi i gyd wedi anghofio Deina druan, ac wedi anghofio nad oes gan yr un ohonom ni fawr o amser nes byddwn ni yn mynd ar ei hôl hi."

Ni chlywodd Dewyth Enoc mono, ond daliai i fwyta â'i farf yn esgyn ac yn disgyn.

A daeth distawrwydd ar bawb.

Daeth Nesta i ddanfon ei Modryb Ela beth o'r ffordd at y stesion. Teimlai Ela'n gynnes iawn tuag ati ac yn ddrwg iawn ganddi fod mor llib ei thafod yn y cerbyd ar y ffordd i'r fynwent.

" Mae'n ddrwg iawn gen i, Nesta, i mi eich brifo."

" Brifo? Pa bryd? Sut? "

" Wel, yn y car, pan ddwedais i mod i'n gobeithio y byddai Alun yn para yn gariad i gyd hyd lan y bedd."

" Wir, welais i ddim o'i le yn hynny. Beth oedd o'i le ynddo fo? "

" O, wel, dyna fo ynte."

Cusanodd hi ar y groesffordd, a throes yn ôl i godi ei llaw arni wedyn.

Yn y trên, bu Ela'n myfyrio wedyn ar ddigwyddiadau'r prynhawn, yn enwedig yr hyn a glywodd am gariad cyntaf Modryb Deina. A fu hi'n hapus wedyn gyda Dewyth Wmffra? Ymddangosai felly. Ond dyn diddrwg didda na ffraeai gyda neb oedd ef. Ac ym meddwl Ela, dynes oedd Modryb Deina yr oedd yn rhaid iddi gael rhywun o'i maint hi ei hun i daro yn ei herbyn cyn y byddai'n hapus, ac efallai y byddai'n hapusach gyda'r dyn arall er ei gelwydd. Ond dyna fo, ni ddigwyddodd felly, ac yr oedd hi a'i gŵr wedi myned tu hwnt i gael eu brifo gan gelwydd na dim arall erbyn hyn. A ffydd fawr Nesta yn ei hapusrwydd. Gobeithio na thwyllid hi beth bynnag yn ei diniweidrwydd gonest. Fel y dynesai at ei chartref, daeth John eto i'w meddwl a'i sylw miniog. Oedd, yr oedd yn iawn. Fe ddywedodd y gwir. Peth fel yna oedd teulu, yn ffraeo yn eu henaint wrth gladdu ei gilydd. Ond yr oedd yn rhincian yn enbyd ar ei meddwl wrth feddwl ei bod wedi anghytuno ag ef pan gychwynnai, a chanfod mai ef oedd yn iawn. Ond penderfynodd na ddywedai mo hynny wedi cyrraedd adref. Fe'i cadwai iddi hi ei hun. Ac os gofynnai gwestiynau, fe gelai oddi wrtho. Wedi'r cyfan, yr oedd Nesta'n hoffus iawn, ac yr oedd hynny'n wir.

TE P'NAWN

NI wn pryd y bûm mor ddwfn na chyn hired yn y felan ag y bûm yr wythnos hon. Wedi cael gwyliau yn y wlad efo'm chwaer yn fy hen gartref, a dyfod yn ôl i dref bach snobyddol, hanner-Seisnig, ddifater, naturiol i ddyn deimlo'n hiraethus am dipyn o ddyddiau, a gadael i'w feddwl redeg yn ôl: "Yr adeg yma wythnos i heddiw yr oeddwn i'n rhwymo styciau ŷd efo John." "Yr adeg yma bythefnos i heddiw yr oeddwn i'n cael te yn yr ardd, heb eisiau meddwl am fynd i'r seiat nac am bwnc i siarad arno."

Ond nid rhyw feddyliau trist-foethus fel yna a ddeuai imi y dyddiau diwethaf yma, ond meddyliau na ellid eu galw'n ddim ond iselder ysbryd. Ni chaf wared ohonynt yn y boreau hyd yn oed.

Heddiw, euthum i feddwl na chefais wyliau mor braf wedi'r cwbl. Yr oedd pawb yn garedig wrthyf, yn rhy garedig efallai. Yr oedd plant fy chwaer yn hollol fel y mae plant heddiw, yn bowld a di-feind o bawb arall. Hoffwn, er hynny, eu diffyg parch i'r pregethwr, arwydd o iechyd. John, fy mrawd-yng-nghyfraith, yn hen foi clên, diddan, ac yn gwerthfawrogi pob cymwynas a rown iddo yn y cae gwair. Ond yng nghanol tawelwch y wlad, mi'm cawn fy hun yn dyheu am fwy o dawelwch, a byddwn yn codi am bump y bore er mwyn cael y gegin i mi fy hun, a chael cwpaned o de heb i air na sŵn amharu ar fy mwynhad ohoni. Byddwn wrth fy modd yn clywed y grug yn clecian o dan y tegell, gweld y mwg mor wyryf a glân yn mynd fel cwmwl i fyny'r simnai, a chlywed sŵn y trên yn y pellteroedd wrth y môr. Yr oedd hynny i gyd mor hyfryd yn y distawrwydd ifanc cyn i'r gwlith godi a chyn i ddyn nac anifail symud ei le ar ôl noson o gysgu. Eithr fe glywn sŵn yn y llofft, a deuai John i lawr y grisiau, a theimlwn innau rywbeth yn crensian, fel traed ar farwor, ar y " fi " hwnnw sydd o'r tu mewn imi, y fi sydd megis ystafell wag lle nad oes croeso i neb groesi ei rhiniog. Dyna'r hud yn darfod, ac ni byddai waeth imi fod yn nwndwr tref mwy nag yn y wlad weddill y diwrnod.

Un peth a roddai bleser imi gynt pan fyddwn ar fy ngwyliau fyddai cyfarfod â'm hen gyfoedion coleg. Ni chefais lawer o flas o'u cwmni eleni. Dyna Huw, sy'n weinidog ar eglwys gyffelyb i minnau mewn tref wledig, Seisnigaidd. Wel, mae o'n anobeithiol. Erbyn hyn, mae ei holl gynulleidfa iddo fo fel cymeriadau mewn nofel. Mae o wedi mynd y tu hwnt i bregethwr, fe aeth yn llenor. Fel hyn yr oedd o'n siarad am ei aelodau:

" Dyna iti Hwn-a-hwn, dyn pwysig, hollol fodlon arno fo'i hun; pan fydda' i'n edrych arno drwy fy sbectol o'r pulpud ar fore Sul, byddaf yn gweld saim ei hunan-fodlonrwydd yn disgleirio ar ei wyneb. A dyna iti Hon-a-hon, sy'n hen ac yn treio edrych yn ifanc, yn ymsythu nes mae hi'n cario'i chorff i gyd ar y tu blaen."

Ni fedrwn beidio â chwerthin am ben ei ddisgrifiadau, ac am wn i, na byddai dim o'i le petai o'n gweld dau neu dri fel yna. Ond fel yna yr edrych o ar bawb. Ni fedr, meddai o, weld lori lo yn mynd i fyny'r stryd, a dyn yn eistedd arni a'i draed yn hongian drosodd, heb ei weld fel petai mewn stori neu ddarlun, ac nid mewn amser a llif bywyd. Nid yw awyr bywyd yn awyr naturiol iddo o gwbl, mae'n crynu ac yn cwafrio fel y bydd yr awyr o flaen storm o fellt a tharanau.

Mae fel dyn yn edrych drwy'r pen rong i sbinglas, ac yn gweld pob dim yn fychan ac yn bell. Mae o'n meddwl chwilio am swydd yn y B.B.C. neu'n athro ysgol.

Wedyn dyna Dafydd, hen foi bach annwyl iawn, sy'n weinidog ar eglwys yn y wlad yng nghanol ffermwyr. Nid yw yntau'n ddall i wegni ei weinidogaeth, a'r diffyg effaith ar eu bywydau bychain crintachlyd. Ond deil ef i obeithio, ac ni chollodd ei ffydd yn y ddynoliaeth na'i Dduw o achos yr ychydig bach iawn o bobl anhunanol a edwyn. Nid ydyw'n ddall i bydredd ein gwareiddiad, nac i'r perygl i ryfel ddinistrio hynny sydd ar ôl ohono (y pethau sy'n fy mlino innau) ond yn wahanol i mi, mae o fel dyn yn eistedd ar graig uwchben y lli, yn ddiysgog a hyderus, ac yn dweud nad dyma ddiwedd popeth wedyn.

Yr wyf fi'n hoff iawn o Dafydd, ni chefais le erioed i amau ei gywirdeb, a hoffaf ef yn fwy am na chollodd ei synnwyr digrifwch. Eto, weithiau, byddaf yn fy nghael fy hun yn meddwl ei fod wedi cyrraedd y tir yna yn rhy hawdd. Mae o a Huw wedi cyrraedd y ddau dir eithafol yna ymhen deng mlynedd wedi gadael y coleg, a minnau, yn yr un amser, heb gyrraedd unman, eithr yn troi a throsi mewn rhyw freuddwydion rhamantaidd heb fod yn bendant ar ddim, ond bod y byd yn mynd â'i ben iddo.

Pe gwyddai Huw fy holl hanes innau fe fyddai wedi fy rhoi yn y galeri ddarluniau sydd ganddo ac yn fy nisgrifio fel hyn: " Dyna Twm, yr hen greadur meddal, wedi penfeddwi ar ryw wraig weddw bach ifanc, ac wedi ei gosod ar ryw orsedd o berffeithrwydd, yn ceisio ei hennill allan o'i galar ar ôl ei gŵr, fel ffured ar ôl gwningen, a ryw ddiwrnod, wedi iddo ei hennill, mi syrth yr orsedd a hithau, a mi fydd ei lygad o'n hollol glir a golau." Yn wir, y rhamant a oedd gennyf yma a wnâi imi beidio â siarad yn feddal am fy ngwyliau, ac a wnâi imi edrych ymlaen at ddyfod yn ôl.

Ni wn pa bryd yr ymserchais ym Mair Elis, gweddw ieuanc a ddaethai i fyw at ei rhieni ryw ddwy flynedd yn ôl ar ôl colli ei gŵr. Efallai nad peth sydyn ydoedd, ac mai fy nghael fy hun yn y cyflwr o'i hoffi'n fwy na neb arall a wneuthum. Ei hwyneb hi, a hi yn unig, a welwn i o'r pulpud, a'r un oedd yr wyneb hwnnw o hyd, wyneb trist, mwyn, heb fod byth yn siriol. Cymharwn hi bob amser â'r blodau bach pinc a gwyn hynny a geir yn yr ardd, lliwiau mwyn, ysgafn oedd iddi hi. Yr oedd fel merch o'r ddeunawfed ganrif, a byddai'n hollol naturiol pe deuai i'r capel mewn bonet gotyn a ffrog fyslin, yn cario parasol. Ond yn wir, yr oeddwn yn dechrau blino edrych ar y pen bach cam hwnnw, ac wedi blino ceisio ei thynnu i fyny o ddüwch ei galar. Ac eto, weithiau, gofynnwn i mi fy hun a hoffwn hi fel arall, yn galed a dewr. Onid y mwynder trist hwn ynddi a'm denai ar ei hôl?

Codais yn sydyn o'm cadair brynhawn ddoe a mynd i Ddôl Erw i ail-ddechrau eto. Efallai y gwelwn hi wedi newid llawer ar ôl mis o wyliau. Ni byddaf erbyn hyn yn ceisio twyllo fy ngwraig-lety wrth gychwyn i'r cyfeiriad gwrthgyferbyniol. Meddylied a feddylio.

Yr oedd yn ddiwrnod cynnes a thes ar y gorwel, a rhyw fymryn o naws yr hydref yn yr awyr, diwrnod i godi calon dyn, ond gorweddai'r iselder arnaf fel cwilt yn fy mygu. Ceisiwn beidio â meddwl am Mair, a mynd i Ddôl Erw fel yr arferwn fynd cyn iddi ddychwelyd adref. Dyma'r unig dŷ ymysg tai fy aelodau y medrwn fynd iddo a gwybod y derbynnid fi'n naturiol fel dyn ac nid fel gweinidog. Nid oedd yno byth na ffwdan na chynnwrf: yr oedd yno groeso wyneb-lawen bob amser. Pan gyrhaeddais, yr oedd drws y ffrynt yn agored a goleuni tair ongl o'r gegin orau ar y lobi; pan ganwn y gloch yr oedd godre ffrog olau yn dyfod allan o gysgod y grisiau i oleuni'r lobi, a dyma Enid, nith Mair, yn rhedeg i gyfarfod â mi, ac yn rhoi ei dwylo am fy ngwddw a'm cusanu, a gweiddi yn holl frwdfrydedd ei hieuenctid: "Mae hi'n ddiwrnod pen-blwydd Nain, ac yr ydw' innau wedi cael ysgoloriaeth i fynd i'r coleg. Mae hi'n de parti yma."

Ar hyn, daeth Mair o'r gegin orau a'r gwrid wedi codi i'w hwyneb: "Enid, rhag cwilydd i chi." Ni chlywswn erioed gymaint o ysbryd yn ei llais. A chlywn Marged Parri yn gweiddi o'r gegin orau: "Beth mae'r hogan yna yn i wneud rŵan? Mae hi fel gafr ar daranau trwy'r dydd." 'Wir, cawswn innau dipyn o sgytiad hefyd.

"Rhaid i chi faddau iddi, Mr. Jones," meddai Mair yn fwyn, "mae hi'n hapus ofnadwy."

"Da bod rhywun yn hapus," meddwn innau.

"Mae hi'n ifanc," meddai ei nain, wedi imi fyned i'r gegin orau, lle'r oedd bwrdd wedi ei osod yn barod i de, yn llawn o bob math o ddanteithion, a Marged Parri mewn blows wen, yn edrych yn ifanc iawn.

Yr oedd tân siriol yn y grât, a rhwng hynny a'r bwrdd hyfryd a'r dodrefn hen ffasiwn, yr oedd yn olygfa siriol.

"Mi ddaethoch i'r pwdin teim," meddai gwraig y tŷ, gan estyn y cadeiriau, a rhoi'r mwgwd ar y tebot. Yr oeddwn fel pe bawn wedi fy nghario gan angel y Bardd Cwsg, a'm gosod wrth fwrdd yng ngwlad hud a lledrith, a'r frenhines ar ei ben yn tywallt te i gwpanau fel plisgyn ŵy, ac yn edrych i lawr i'w dyfnder fel petai hi'n edrych i waelod môr.

"Mwynhewch o, Mr. Jones," meddai hi, "fel petai o'n de pen-blwydd i chi, ac nid i mi. 'Dwn i ddim i beth oedd ar y plant yma eisiau gwneud stŵr."

"Nid pawb sy'n cael ei ben-blwydd yn drigain heddiw," meddai Enid.

" Diar mi, ac mi'r ydach chi'n drigain? " meddwn i.

" O," meddai, " dydi trigain ddim yn hen heddiw."

" Nac ydi, nac ydi," meddwn innau, " 'rydach chi'n edrach bron cyn ienged â'ch merch." (Rhoi fy nhroed ynddi wedyn.)

" Dydi hynny'n dweud dim llawer," oddi wrth Mair.

" Taw, Mair, rhag cwilydd iti. Mi fasa dyn yn meddwl dy fod ti'n gant, yn ôl fel 'r wyt ti'n siarad."

Gwenodd Mair.

" 'Rydan' ni i gyd yn edrych yr un faint ag ydan ni," gan Enid. " Faint ydi'ch oed chi, Mr. Jones? "

" Deuddeg ar hugain."

" Pedair blynedd yn hŷn na Modryb Mair."

Saethau o dân o lygaid ei nain a'i modryb, ond yr oedd Enid yn gwbl ddihitio wrth gymryd tafell fawr arall o'r deisen hufen.

" Wel," meddai Marged Parri, " mi ellwch edrach yr un faint â'ch oed neu ddim, 'dydi hynny ddim o'r ods, ond mae o'n ods sut yr ydach chi'n teimlo."

" Ond mi'r ydach chi'n teimlo'n iawn," meddwn i, gan genfigennu wrthi.

" Ydw, am wn i, o ran fy iechyd. Ond 'does arna' i ddim eisiau byw llawer eto."

" Mam! "

Cododd Enid ei phen oddi wrth ei phlât.

" Nac oes, pan ddowch chi i f' oed i, 'does gynnoch chi'r un affliw o ddim i edrach ymlaen ato drannoeth. Dyna chi'n rhoi eich pen ar y gobennydd cyn cysgu, ac yn meddwl beth sydd yna yfory, a 'does yna ddim byd."

" Mae hynny'n digwydd i rai yn ifanc iawn," meddai Mair.

" Ydi, am dipyn," meddai ei mam yn galed, " ond fel yna y bydda'i rŵan tra bydda' i, yldi, a 'waeth imi fynd odd' 'ma'n fuan mwy nag yn hwyr."

" Wel, mae gynnoch chi rywbeth i edrych ymlaen ato, Nain, bwydo'r ieir a gwneud bwyd i Taid."

" Mae dy daid wedi hen flino canmol ei fwyd, a 'dydi bwydo ieir ddim yn rhoi ias o ddisgwyliad i neb."

" Ydi, pan mae wyau'n brin," meddai Enid.

Chwarddodd Mair, a rhythais innau.

" Clywch chi ar Enid," meddai Marged Parri, " digon hawdd iddi hi siarad, pan mae pob 'fory iddi hi fel cannoedd o lygod bach yn dwad allan o'u tyllau i'r twllwch, yn llawn digwydd-iadau. Ond beth sydd gan neb fel fi i'w ddisgwyl? "

" Wel, mae yna lot o ddiddordeb mewn bywyd o hyd," meddwn i, " ond nad ydyn' nhw ddim yn bethau cynhyrfus iawn fel sy gan Enid yma i'w gobeithio, neu Mrs. Elis yma o ran hynny," gan nodio at Mair.

" Neu chi eich hun," meddai Marged Parri. " rhyw dwll du i chi roi eich pen ynddo ddylai'r dyfodol fod, ond 'rydw i wedi rhoi fy mhen trwyddo ers talwm, fel brws y swîp yn dwad allan drwy'r corn."

Chwarddasom i gyd, a bu agos i Enid dagu.

Yn sydyn hollol fe'm cawn fy hun yn gwneud yr un peth â'm cyfaill Huw, yn edrych o'r tu allan ar y tair, ac ar y te parti. Nid oeddwn i ynddo, ond safwn o'r tu allan. Yn fy myw ni allwn lai na gweld y tair merch fel tri jwg mewn set, y jwg mawr, y jwg canol a'r jwg bach, ac ymddangosai'r peth yn rhyfedd iawn i mi, ein bod yn siarad am bethau mor ddigalon ar ddydd pen-blwydd, ie, ac yn medru chwerthin am ben pethau mor ddigalon. Yr oedd Marged Parri wedi dweud fy nheim-ladau i yn ei ffordd ddigrif ei hun, yn enwedig pan soniodd am yr " ias o ddisgwyliad."

Daeth Ifan Parri adref toc, ac edrychodd yn hurt ac yn gwestiyngar o un i'r llall wrth weld y wledd a'r dillad lliwgar, mae'n debyg. Yr oedd gwên ar wyneb ei briod wrth ddweud:

“Dyma fo, Enid; ’d ydi o ddim wedi cofio dim am ben-blwydd dy nain.”

“Go drapits las, na, ’chofis i ddim,” meddai Ifan Parri, dan chwerthin, “llawer ohonyn’ nhw iti, Margiad.”

“’Rydan ni newydd fod yn trafod y llawer ohonyn’ nhw,” meddwn i, “’does ar Mrs. Parri ddim eisiau llawer ohonyn’ nhw.”

“Hawdd dweud hynny,” meddai yntau, “ond tasa’r Main yn taro heibio, mi fasa’n gyrru am y doctor mewn munud.”

Euthum i’r ardd er mwyn i Ifan Parri gael ei de, dan esgus mynd i weld y coed ffrwythau. Daeth Mair ar fy ôl, a rhoddodd hynny ynddo’i hun y fath bleser imi fel yr oedd arnaf ofn siarad â hi rhag ofn imi ei gyrru unwaith eto i’r tywyllwch y daethai allan ohono am ychydig y prynhawn.

“Onid oedd mam yn ddigalon?” meddai hi.

“Oedd, ond yr oedd hi’n dweud pethau mor ddigalon mewn ffordd mor ddigri’, fel yr oeddwn i’n meddwl mai smalio’r oedd hi.”

“Dim o gwbwl; mae hi fel yna o hyd, yn sobor o ddigalon, ac yn dweud nad oes yna ddim yfory o hyd.”

“’Rydw i’n dallt ei digalondid yn iawn, ond ’fedra i ddim dallt y digrifwch yna.”

“Meddwl yr ydw’ i ei bod hi wedi cyrraedd ei gwaelod isa’, wedi rhoi ei phen drwy’r simnai, fel y dywedodd, a mai dyna paham y mae hi’n medru bod yn ddigri’. Mae hi’n waeth ar bobl sydd heb gyrraedd y gwaelod, a heb weld trwy bob dim.”

Ond nid oeddwn am ddechrau ar y trywydd yna efo Mair, oblegid gwyddwn yn rhy dda mai gyda’i theimladau hi ei hun y gorffennai. Nid oeddwn am sôn am fy nigalondid fy hun wrthi am yr un rheswm.

“Wyddoch chi,” meddwn i, “mi fuom i gyd yn greulon iawn wrth Enid y p’nawn yma.”

" Sut felly? " (gyda thipyn o deimlad).

" Yn un peth, ni soniodd neb air am ei hysgoloriaeth."

" 'D ydi hi ei hun wedi sôn am ddim arall er pan gyrhaeddodd hi'r bore yma efo'r newydd."

" Chwarae teg iddi, methaf weld na allasem rannu ei llawenydd, am fod un o'r llygod bach wedi dwad allan iddi hi, yn lle gloddesta ar ein sôn ein hunain am ddigalondid. Siarad yr oeddem ni wedi'r cwbwl."

" O, 'does dim rhaid inni boeni am Enid. Mi fydd hi'n iawn. Yr oedd hi'n mwynhau'r bwyd."

" A ninnau'n mwynhau'r siarad. Nid fel yna y buasem ni petaem ni'n teimlo o ddifri."

" 'Rydach chi'n credu nad oedd mam o ddifri? "

Rhag dechrau trafodaeth ar ragrith, dywedais:

" O! nac ydw', ond mae hi llawn mor ddigalon ar Enid ag ar yr un ohonom."

" Alla' i ddim gweld hynny."

Ond nid oeddwn yn y dymer i drafod ychwaneg ar bwnc ein te a pheidiais â dweud dim.

Wrth ddychwelyd i'm llety dan leuad glir noson o Fedi, medrwn ddeall tipyn ar fy nghyfaill Huw, a thybiwn y buasai Marged Parri yn ei ddeall yn berffaith, ond na buasai'n medru ei fynegi cystal. Wedi bod yn gwylio bywyd yr oeddwn innau, yn edrych ar ddarn bach ohono'n myned heibio, ac wedi gweld rhywbeth yn yr eilun a addolwn nas gwelswn o'r blaen. Toraswn sgwrs ar ei hanner yn yr ardd rhag imi weled rhagor, a dyfod adref yn ffwrbwt. Efallai y gwnâi hynny fwy o les i Mair na dadlau ac ymresymu. Ac ni allwn beidio â theimlo trueni dros Enid. Ond yr oeddwn yn llai digalon, a'm hedmygedd o Dafydd Bach yn fwy nag erioed.

DICI NED

EISTEDDAI Dici wrth y bwrdd yn ysgrifennu stori pan ddaeth ei fam i'r tŷ o'i gwaith, a'i dad yn union ar ei hôl.

" 'Dwyt ti ddim wedi cynnau'r tân? " oedd geiriau cyntaf y fam.

" Fedrwn i ddim. 'Doedd o ddim wedi'i osod."

" Mi ddylai hogyn naw oed fedru clirio grât a gosod tân yn barod i roi matsen ynddo fo."

" Fedrwn i ddim. 'Roeddwn i'n rhy wan."

" Paid â dweud clwyddau."

" A phaid ag ateb dy fam yn ôl," meddai'r tad.

" Mae gen i hawl i ateb yn ôl pan fydda i'n dweud y gwir."

Ar hynny rhoes y fam glustan iddo fo, a dechrau ffwdanu gwneud tân heb glirio marwor y diwrnod cynt allan.

" Symud dy bethau oddi ar y bwrdd imi gael hwylio bwyd."

Rhoes liain carpiog, pyg ar y bwrdd a mynd i nôl tun o ffa pobi o'r gegin bach.

" O Arglwydd," meddai Dici wrtho'i hun, " yr un hen dun eto."

A dechreuodd gyfogi ar lawr.

" Dos allan," meddai'i dad, " yn lle rhoi rhagor o waith i dy fam."

Ac allan yr aeth Dici, i'r stryd. Aeth i fyny o'r gwli gul lle'r oedd yn byw a dechrau cerdded y strydoedd, heibio i dai lle'r oedd golau cynnes, hapus i'w weld yn y ffenestri. Yr oedd llenni'n gorchuddio rhai, a ffurf lamp neu gawell aderyn i'w weld trwyddynt. Yna daeth at dŷ lle na thynasid y llenni, a gallai weld teulu o dad a mam, bachgen a geneth wrth y bwrdd yn bwyta.

"Bwyd," meddai wrtho'i hun, "bwyd, bwyd."

Dywedodd ef lawer gwaith drosodd, gymaint o weithiau fel yr aeth yn air dieithr iddo: nid oedd y fath air yn bod. Penderfynodd fynd i mewn i'r tŷ yma, ac os troid ef allan, ni fyddai ddim gwaeth nag ydoedd cyn hynny. Cerddodd yn araf i fyny llwybr yr ardd; yr oedd ei ben yn troi, a dim ond nerth penderfyniad a'i gyrrodd ymlaen. Cnociodd yn ddistaw ar y drws, a daeth gwraig dal, lyfndew i'w agor.

"Ga' i ddwad i mewn os gwelwch chi'n dda?"

Ond cyn i'r wraig gael ateb, rhoes ei gefn ar y wal, a chael a chael a wnaeth y wraig i'w ddal cyn iddo syrthio. Cariodd ef yn ei breichiau i'r tŷ, a'r teulu wrth y bwrdd yn edrych yn syn arni.

"Y creadur bach, mae o wedi cael gwasgfa."

Rhedodd ei gŵr i'r gegin bach i nôl dŵr. Ceisiodd Dici ei yfed wedi iddo fedru eistedd.

"Sâl ydach chi, machgen i?" gofynnodd y wraig.

"Na, eisio bwyd."

"'Steddwch chi yn fan'na am funud ac yfwch y dŵr yna i gyd. Mae'r lobscows yma sy gynnon ni yn rhy drwm i chi y munud yma."

"O, nac ydi. Mae'i oglau o yn ddigon o ryfeddod."

"Dowch at y bwrdd. Gwyneth, dos i nôl plât arall a chadair. Mi ro' i ddigon 'chydig i chi i gychwyn."

Yr oeddynt i gyd wedi eu syfrdanu.

"Wedi i chi fyta hwnna, mi gewch bwdin reis, mi fydd hwnnw'n sgafnach i chi."

"O, mae hwn yn dda."

"Dyna chi rŵan, bytwch hwn," ac estyn platiad o bwdin reis hufennog iddo.

Yna cawsant gwpanaid o de. Daeth ei liw yn ôl i wyneb Dici, lliw llwydaidd ddigon er hynny, a dechreuodd yntau grïo.

"O, diolch yn fawr," meddai.

"Dyna chdi," meddai'r tad, "eistedd di'n llonydd wrth y tân rŵan, a mi gei ddweud dy stori wedyn."

"Mae gen i stori am Jimi."

"Hidia di befo Jimi rŵan, mi gawn ni dy stori di dy hun gynta."

"Mae hi reit debyg i stori Jimi."

Aeth Gwyneth ac Iwan â'r llestri bwyd i'r gegin bach i'w golchi. Yr oedd yr aelwyd yn gysurus, y ci a'r gath yn cysgu efo'i gilydd mewn basged, a'r gath â'i choes flaen dros wddf y ci. Dechreuodd Dici huno cysgu, ac meddai'r wraig yn ddistaw wrth ei gŵr:

"'Ddylsen ni fynd i ddweud wrth y plismon?"

Agorodd Dici ei lygaid a gweiddi:

"O, naci, naci! Mi fuo'r plismon yn tŷ ni am fod nhad a mam yn cwffio ac yn rhegi, ac mi ddaru o fy holi fi am yn hir, hir, yn frwnt, nes oeddwn i'n wag y tu mewn, a mherfedd i wedi dwad allan. A mi fuo y dyn Atal Creulondeb acw am nad oeddwn i'n cael digon o fwyd: mi fuo pethau'n well am ryw fis wedyn, ond maen' nhw yr un fath eto."

Aeth y tad a'r fam i'r gegin bach.

"Dos i dŷ Mrs. Elis, Tŷ Pella," meddai'r wraig wrth ei gŵr, "mae hi'n helpu'r dyn Atal Creulondeb."

Yr oedd Bob Williams yn ôl mewn dau funud.

"Ydi, mae o'n dweud y perffaith wir. I lawr yng ngwaelod y dre mae o'n byw, mewn rhyw hen gwli."

"Y creadur bach!"

Yr oedd pawb yn ôl wrth y tân a dechreuodd Ruth Williams holi.

"Wel, dwedwch rywbeth o'ch hanes rŵan. Bedi'ch enw chi?"

“ Richard Edwards ydi fy enw iawn i, ond ‘ Dici Ned ’ mae pawb yn fy ngalw fi, a ’rydw i’n byw mewn rhyw hen gwli i lawr yng ngwaelod y dre, hen stablau oedd yno ers talwm.”

“ O mi wn i,” meddai Iwan, “ i Ysgol Wernddu ydach chi’n mynd, a ninnau i Ysgol Bron y Coed, dyna sut oedden ni ddim yn ych nabod chi.”

“ Ia, a ’dydw i ddim yn chwarae pêl-droed.”

“ Felly, ’does gen ti neb yn byw drws nesa iti,” ebe’r tad.

“ Nac oes, neu mi fasai’r dyn Atal Creulondeb acw yn amlach o lawer.”

“ Ydach chi ddim yn cael cinio yn yr ysgol? ” gofynnodd y fam.

“ Dim ond weithiau, pan fydd gin mam bres; mae hi a nhad yn mynd i’r dafarn bob nos, wedyn ’does ganddyn’ nhw byth bres, er bod y ddau’n gweithio. ’Ches i ddim ond clwff o fara a margarîn i ginio heddiw.”

“ Oes gynnoch chi frodyr a chwiorydd? ”

“ Dwy chwaer. Mae’r ddwy wedi priodi ac yn byw yn bell, rywle yn Lloegr.”

“ Fyddwch chi’n clywed oddi wrthyn ’nhw? ”

“ Bydda’ weithiau, ond mae mam yn agor y llythyr, ac mi fydda i’n cael presant gin Nel, crys neu rywbeth felly, ond mae mam yn i werthu o.”

“ ’Does gynnoch chi ddim digon amdanoch heno.”

Ni ddywedodd Dici ddim.

“ Ella y buasai Wil y Teiliwr yn torri hen dopcot i Iwan i’ch ffitio chi. Dim ond deg ydi Iwan, a mi’r ydach chi mor fychan. Mi gawn ni weld.”

“ Roeddech chi’n dweud ych bod chi’n sgwennu storis,” meddai Gwyneth.

“ Ydw, ond mi’r ydw i’n gorfod i cuddio nhw.”

“ Pam? ”

" Am fod mam yn meddwl y dylwn i fynd i werthu papurau newydd hyd y stryd. Fedrwn i ddim rhedeg o ddrws i ddrws. 'Rydw i'n rhy wan."

" Am be mae'r stori? " gofynnodd Gwyneth.

Yna dechreuodd llygaid Dici loywi.

* * *

" 'Roedd yna hogyn bach tlawd, tlawd, a'i enw fo oedd 'Jimi,' a'i dad a'i fam o'n gas iawn wrtho fo, a dyma fo'n penderfynu rhedeg i ffwrdd. 'Roedd o'n darllen lot o lyfrau ac wedi dwad i wybod bod yna lot o lefydd crand yn y byd yma, dim ond inni ddwad i wybod amdanyn' nhw. A roedd o wedi breuddwydio ryw noson fod yna blas mawr ar ochor rhyw fynydd heb fod ymhell o'r pentre lle'r oedd o'n byw, plas lle'r oedd yno lestri aur, gwlâu a dillad sidan arnyn' nhw, gerddi mawr a phob dim yn tyfu yno, a bwyd da.

Rhyw noson dyma fo'n cychwyn ar ôl yr ysgol i chwilio am y plas yma. 'Roedd o'n hollol siŵr y basai o'n dwad o hyd iddo fo, achos 'roedd o wedi'i weld o yn i freuddwyd. 'Roedd i ddillad o'n flêr, a darn o'i grys o fel cynffon allan drwy du nôl i drywsus o. 'Roedd o reit hapus am i fod o wedi dechrau gwneud y peth oedd arno fo eisio'i wneud ers talwm, a 'roedd o'n mynd trwy'r dre tan ganu. Ond wedi dwad allan i'r wlad mi stopiodd! 'Roedd arno fo ofn. 'Doedd yna neb yn unman, a mi ddechreuodd deimlo'n wan, achos 'doedd o ddim wedi cael bwyd er ganol dydd yn yr ysgol, a 'roedd o wedi methu byta dim llawer o hwnnw, achos yr oedd o'n sâl o hyd. Ydach chi'n gweld, 'doedd o'n cael dim ond tamaid bach o frecwast, wedyn mi'r oedd cinio'r ysgol yn i wneud o'n sâl. Beth bynnag, mi gerddodd dipyn wedyn, a mi welodd oleuni mewn ffenest, ond 'doedd o ddim yn licio mynd i mewn. Ffarm oedd yno, a mi aeth i ryw hoywal, ac mi'r oedd gwair ar lawr yn honno. 'Roedd o mor wan fel i bod hi'n bleser gorwedd ar y gwair, ac mi gysgodd yn sownd. Mi ddeffrodd yn y nos gan fod yno sŵn gwichian a rhedeg, a mi gesiodd mai llygod mawr oedd yno. 'Doedd ganddo fo ddim matsen i edrach, a dyma fo'n dweud wrth y llygod: 'Cerwch i'ch gwlâu i gysgu.' A wir, mi wrandawodd y llygod. Mi gafodd lonydd i gysgu nes daeth rhyw ddyn yno yn y bore. Y ffarmwr oedd o. Dyma'r ffarmwr yn dweud:

'Be wyt ti yn da yn fanma?'

'Ar fy nhaith yr ydw i,' meddai Jimi.

'Taith, wir, yn yr ysgol mae dy le di.'

'Peidiwch â dweud wrth neb. Chwilio am ryw blas ydw i.' Maen' nhw'n perthyn i mi.'

Dyma'r tro cynta erioed i Jimi ddweud celwydd.

'Plas,' meddai'r ffarmwr, 'a dy grys di allan trwy ben ôl dy drywsus di.'

'Ia, dyna pam yr ydw i'n chwilio am y plas, i edrach ga' i drywsus arall.'

'Oes gen ti fatsus arnat, beth pe tasat ti'n rhoi'r lle yma ar dân?'

''Does gen i ddim ceiniog ar fy helw i brynu matsus.'

'Pryd ces di fwyd ddwaetha?'

'Adeg cinio ddoe.'

Aeth â fo i'r tŷ.

'Nel,' meddai wrth ei wraig. 'Gwna damaid o frecwast i'r hogyn yma.'

'O ble yn y byd . . ?' meddai hithau a stopio, wrth weld yr olwg druenus ar Jimi.

''Rŵan,' meddai'r ffarmwr, 'byta di reit harti a dos yn 'dôl adre.'

‘Ydi’ch tad a’ch mam yn gwybod ych bod chi’n crwydro fel hyn?’ gofynnodd y wraig.

‘Y nhw sydd wedi fy ngyrru fi.’

A dyna’r ail gelwydd. Cafodd gig moch ac ŵy, bara saim a digon o frechdan. ’Roedd o’n teimlo y medrai o fynd am ddiwrnod cyfa heb ddim bwyd. Dyma fo’n ail gychwyn, a chyfarfod â phlant yn mynd i’r ysgol, ac yn dweud wrtho’i hun: ‘Dim cinio ysgol i mi heddiw, na slap, na dril.’ ’Roedd yn gas gan Jimi ddril, achos ’roedd o’n rhy wan i neidio, a ’roedd arno fo gwilydd tynnu’i ddillad ucha am fod i ddillad isa fo mor fudr a mor rhacslyd. Mi gerddodd yn hapus trwy’r wlad nes daeth o i olwg mynydd uchel, a ’roedd o’n meddwl i fod o’n gweld tŷ mawr ar i ochor o. Beth bynnag, dyma fo’n troi o’r ffordd bost ac yn dechrau dringo’r mynydd. Ond ddaru o ddim cysidro nad oedd yna ddim tŷ i gael bwyd ar y mynydd, dim ond defaid a grug a cherrig. A dyma eisio bwyd yn dechrau arno eto. Mi’r oedd yno ffrwd bach o ddŵr glân, ac mi wnaeth gwpan efo’i ddwylo, yfed peth o’r dŵr a theimlo’n well. Mi orweddodd ar y mynydd am dipyn ac edrach i’r awyr, a dweud wrtho fo’i hun: ‘Yn fancw mae Duw yn byw. Tybed ydi o’n fy ngweld i rŵan? Os ydi o, mi wneith O fy helpu fi, a dweud wrtha i ble i roi fy nhroed, nes bydda ’i wedi cyrraedd y plas.’

Ail gychwyn wedyn, a’r cerrig yn brifo’i draed o; hen sgidiau sâl oedd gynno fo. Weithiau mi ddôi i ddarn bach lle’r oedd grug, ac mi ’roedd o’n licio clywed i draed yn crensian ar y grug. Ond O! dyma fo’n gweld rhywbeth yn symud ar y gwelltglas, a beth oedd yno ond neidr fawr.

(‘Ych!’ meddai Gwyneth.)

A mi ddechreuodd y neidr chwythu a symud, ac ’roedd i chorff hi’n mynd fel tonnau’r môr, a ’doedd waeth faint oedd o yn i redeg, ’roedd y neidr yn gynt na fo. ‘O Dduw,’ meddai o, ‘beth wna i?’ Ar hynny dyma lot o bobol bach tua chwe modfedd o daldra yn dwad o gwmpas y neidr ac yn tynnu'i llygad hi oddi ar Jimi.

' 'Wneith hi ddim byd i chi rŵan,' meddai un o'r bobol bach. ' Ewch chi yn ych blaen i'r plas.'

' Yn lle ca'i gysgu heno? ' meddai yntau.

' Cysgwch chi ar y ddaear, a mi fyddwn ni o'ch cwmpas chi.'

" Ac felly fu. Mi aeth Jimi i gysgu yng nghysgod carreg fawr ar y grug, a'r bobol bach yn dawnsio o'i gwmpas ac yn canu.

' Cysga di, ein plentyn aur,
Daw'r plas i'r golwg 'fory.'

'Doedd neb wedi i alw'n blentyn aur o'r blaen. Erbyn y bore 'roedd y bobol bach wedi mynd, ac 'roedd yna gylch o fwsog gwyrdd golau o'i gwmpas. 'Doedd arno fo ddim eisio bwyd, ond 'roedd o'n poeni nad oedd o ddim yn cael 'molchi. 'Doedd ganddo fo ddim i sychu'i wyneb. Ond meddyliodd y câi o fwy o groeso yn y plas os byddai 'i wyneb yn fudr. Mi fuasent yn siŵr o gredu 'i stori. Cerddodd am hir iawn, a thoc dyma'r plas i'r golwg. Ond 'roedd yno lot fwy o ffordd nag oedd o wedi'i feddwl. Mi aeth gwadnau'i sgidiau o yn dyllau, ac mi benderfynodd y medrai gerdded yn well hebddynt. Ond O! 'roedd i draed o'n fudr a'i sanau'n dyllau i gyd.

Cerddodd trwy giât fawr y plas, giât â lliwiau aur arni hi, ac i fyny at ddrws y ffrynt a chanu'r gloch. Daeth dyn tal i'r drws â dillad gwyrdd amdano wedi'i trimio efo brêd aur.

' Dowch i mewn,' meddai'r dyn, ' 'rydyn ni wedi bod yn disgwyl amdanoch chi ers talwm.'

Mi aeth â fo i rŵm fawr lle'r oedd yna lot o bictiwrs o ferched a dynion, y merched efo gyddfau a brestiau noeth, a'r dynion efo gwallt hir. 'Roedd y rŵm yn dywyll braidd, ond toc mi welodd Jimi ddynes glws yn dwad ato.

‘ Fy mhlentyn bach i,’ meddai hi a’i gusanu.

’Roedd ganddi hi ffrog neis ac yr oedd oglau da arni. Canodd gloch a dyma ddyn yn dwad.

‘ Ewch â fo i gael bath, Richard,’ meddai hi, a dyma fynd â Jimi i’r bathrwm a’i olchi mewn dŵr cynnes braf a lot o sebon oglau da. ’Doedd Jimi ’rioed wedi cael bath o’r blaen. Wedyn mi ’roth y dyn yma ddillad neis amdano fo, crys sidan gwyn, a mynd â fo i rŵm arall a rhoi bwyd iddo fo mewn llestri â blodau clws arnyn’ nhw ac ymyl aur.”

* * *

“ Ac mi fuo’n hapus byth wedyn,” meddai Gwyneth.

“ Naddo.”

“ Naddo? ”

“ Naddo. Ydach chi’n gweld, ’roedd o’n cael digon o bob peth, ond ’doedd o ddim yn medru mwynhau dim byd. ’Roedd ganddo fo ddigon o bres poced, ond ’doedd yno ddim siop i gwario nhw, ond ambell dro pan fydden’ nhw’n mynd â fo yn y car i lawr i’r dre. Ond ’doedd pres poced yn dda i ddim iddo fo. ’Roedden’ nhw wedi rhoi wats *aur pur* iddo fo, wedi rhoi pob math o ddillad. Tasa fo’n prynu pêl, ’doedd yno neb i chwarae pêl efo fo. A ’doedd yno ddim ysgol. Dim ond rhyw ddyn yn dwad i roi gwers iddo fo bob dydd yn llyfrgell y tŷ. ’Roedd y dyn yn glên, ond ’doedd yna ddim hogyn yn eistedd wrth i ochor o i siarad yn ddistaw efo fo nac i ffraeo na chwffio. ’Doedd yno ddim tîm pêl-droed i chwarae. Ond yn waeth na dim, ’doedd yna ddim clas, na neb i gystadlu efo fo. Felly ’doedd o byth yn cael pleser o fod ar dop y clas. Wrth gwrs, ’doedd o ddim ar i waelod o ’chwaith. Felly, ’doedd yna ddim byd yn rhoi hwb iddo fo ddysgu. A mi’r oedd arno fo hiraeth am y pentre lle’r oedd o wedi’i fagu. Felly mi benderfynodd fynd yn ôl adre.”

“ O, hen dro,” meddai Ruth Williams yn siomedig.

“ Cyw a fegir yn Uffern . . . ,” meddai ei gŵr.

Edrychodd Dici arno heb ddeall yr ymadrodd.

“ Beth ddigwyddodd wedyn? ” gofynnodd Iwan.

“ ’Dydw i ddim wedi’i llawn orffen hi eto, ond fel hyn y bydd hi. ’Roedd y wraig (’doedd ganddi hi ddim gŵr) yn ddigalon iawn pan ddywedodd Jimi i fod yn mynd, ac mi’r oedd Jimi dipyn yn ddigalon, achos ’roedd o wedi dechrau licio’r bobol. Pan ddaeth o adre, mi gafodd dafod iawn gan i fam am ddengid. ’Roedd y plismyn wedi bod yn chwilio amdano fo, ac yn gas iawn wrtho fo am roi cymaint o drafferth iddyn’ nhw. Ond ’roedd ganddo fo un cysur, ’roedd pobol y plas wedi dweud wrtho fo, os byddai o mewn unrhyw drwbl, am iddo fo ddwad yn ôl atyn’ nhw. ’Roedd yno grïo mawr wrth ffarwelio. Mi wrthododd Jimi adael iddyn’ nhw ddwad i’w ddanfon o yn y car, er mwyn iddo fo ddysgu’r ffordd yn iawn, petai arno fo eisiau mynd yn ôl.

“ A ’rydw i’n meddwl y gwna’i roi i mewn yn y stori fod y car wedi dwad at y tŷ ryw ddiwrnod, a Jimi wedi’i weld o drwy’r ffenest, a mi gafodd ddillad crand ganddyn’ nhw, a maen’ nhw am ddwad eto cyn y Nadolig. Ond mae Jimi yn poeni dipyn. Mae arno fo ofn iddyn’ nhw ddwad yno i’w nôl i fynd yn ôl efo nhw am dipyn am wyliau, a gwneud rhyw dric i gadw fo yno am byth. ’Rydw i’n methu gwybod sut i’w diweddu hi.”

“ Mi wn i,” meddai Iwan, “ gwneud i Jimi fynd at y plismyn ymlaen llaw i ddweud wrthyn’ nhw am ddwad i’r plas i nôl o, os bydd fwy na hyn-a-hyn o ’cartre.”

“ Mae’n gas gen i blismyn, mi ga’i feddwl am y peth eto. ’Rydw i’n meddwl mai gwneud iddo fo wrthod wna i. Beth petasen’ nhw yn i ladd o? ”

“ Problem eto,” meddai Gwyneth.

" O mae Jimi yn siŵr o'i setlo hi," ebe Dici, " 'roedd o'n un da am wneud problemau yn y wers syms yn yr ysgol."

Wedi dweud hynny, syrthiodd yn ôl yn ei gadair yn llipa flinedig, a brwdfrydedd ei adroddiad o'r stori wedi mynd. Daeth gwrid i'w wyneb a dechreuodd grïo eto.

" Mi wnawn ni paned eto," meddai Ruth Williams, a phawb o'r teulu yn cytuno. Ond yr oedd asbri Dici wedi mynd.

" Rhaid imi fynd adre," meddai'n ddigalon. " Ga' i? Ga' i," meddai, " aros yma efo chi am byth? "

Edrychodd pawb ar ei gilydd, a'r tad wedyn yn edrych i'r tân.

" Ylwch chi, Dici," meddai, " os dowch chi yma i fyw efo ni, mi fedrai ych tad a'ch mam ddweud ein bod ni wedi'ch dwyn chi, a mi allen' fynd â ni i'r llys, a'n cosbi ni."

" Na, mi fasen yn falch o gael gwared ohona i."

" Ella, ond os basen' nhw yn gweld siawns i wneud arian, mi fasen' yn mynd â'r achos i'r llys. Ond dwedwch petasai arnom ni ych eisio chi yma am byth, mi fasai'n rhaid inni fynd at y twrna a seinio papurau i ddweud ein bod ni am ych cymryd chi am byth, rhag i'ch tad a'ch mam fynd â chi oddi yma. A wyddoch chi, ella na fasech chi ddim yn hapus yma, ac y basai arnoch chi ych hun eisio mynd oddi yma."

" Dydw i'n dallt dim am bethau fel 'na, ond 'rydw i'n gwybod y baswn i wrth fy modd yma."

Dyma Ruth Williams yn clepian ei dwylo.

" Mae gen i gynllun," meddai hi, " mi geith Dici ddwad yma bob nos yr adeg yma i gael pryd iawn o fwyd efo ni, ac aros yma wedyn i wneud i dasgau efo Gwyneth ac Iwan."

" Ac i sgwennu storis," ebe Dici â sêr ei lygaid yn edrych ar y tebot.

" A mi dreiwn ni rywsut dalu am ginio'r ysgol i chi ambell ddiwrnod, beth bynnag."

" Mi fedr Iwan a minnau roi tipyn o'n pres poced at y cinio," meddai Gwyneth.

" Mi a'i i lawr at y prifathro i weld fedar Dici gael help at hynny," meddai Bob Williams.

" P'run oedd y broblem fwya," ebe Iwan, " problem Dici a'i problem Jimi? "

Chwarddodd Dici wrth ben ei baned te.

" A dowch yma bob Sul i ginio a the," meddai Ruth Williams.

" 'Does gen i ddim dillad," meddai Dici.

" Hitiwch chi befo'r dillad, ella y bydd yma rai ar ôl Iwan."

" A mi molcha i yn lân, ond 'cha' i ddim bath fel Jimi."

Chwarddodd pawb.

" A dowch yma ddydd Nadolig," meddai Bob Williams.

" O ia," meddai Gwyneth.

" A stori newydd efo chi," meddai Iwan.

" O diolch yn fawr, a diolch am heno. 'Wna i byth anghofio."

" Na ninnau, cariad," meddai'r fam.

Gwrthododd Dici i neb ei ddanfon adre. Yr oedd y lle mor flêr. Ond nid oedd arno ofn nos na'i dad a'i fam heno.

GOBAITH

PETAI rhywun yn cynnig canpunt y munud hwnnw i Sal Huws am ei meddyliau, ni allai ddweud yn syth beth oeddynt, gan eu bod yn rhedeg groes ymgroes ar draws ei gilydd yn ei myfyrdodau, ac ar ddau wastad, gwastad ei pherthynas â Huw ei gŵr, a gwastad ei pherthynas ag Iolo ei bachgen pedair oed, a oedd yn ddau wastad gwahanol iawn. Gwastad o fân ffraeo draenogaidd, didor-derfyn oedd y gwastad lle'r oedd Huw, a gwastad o dangnefedd addoli oedd y gwastad lle'r oedd Iolo.

Yr oedd yr olygfa lle y meddyliai y pethau hyn yn un ryfedd. Y cae bach wrth ochr y tŷ, a hithau'n eistedd yno ar fainc, yn gafael yn y rhwymyn lledr oedd am ganol Iolo, Sam y gath wrth ei hochr, Pero'r ci wrth ei hymyl ar lawr, ac yn gorwedd ar ganol y cae, y mochyn, ei gefn yn fudr a'i fol yn wyn.

Yr oedd haul haearnaidd Gorffennaf yn disgyn arnynt. Buasai yn y pentre efo Iolo onibai am y gwres caled yma. Pwnc ei myfyrdodau oedd ei bywyd hi ei hun ers pum mlynedd a rhagor. Rhyfedd cyn lleied o amser a gymerai iddi redeg dros y cyfnod yn ei meddwl, a rhyfedd cymaint o bethau mawr oedd wedi digwydd yn yr amser. Wedi cael plentyn ar ôl disgwyl amdano am ddeuddeng mlynedd ar ôl priodi, ac wedi ei gael darganfod nad oedd yn iawn, fod ei feddwl yn wan. Yr oedd ei chof o gael y newydd gan y meddyg mor glir â'r noson y cafodd ef; y llinellau yn sefyll allan fel patrwm edafedd gwawn. Rhoes y meddyg y newydd yn blwmp ond nid yn blaen, ac ychwanegu y gallai'r plentyn ymhen amser ddyfod yn gryfach, gorff a meddwl. Diflannodd fel cysgod o'r tŷ wedi dweud, a Sal yn clywed y gwaed yn mynd i lawr oddi wrth fôn ei gwallt dros ei hwyneb, hithau'n disgyn ar lawr. Huw yn rhedeg i'w chodi a nôl cwpanaid o ddŵr iddi. Yna digwyddodd peth rhyfedd. I'w hysbryd fe ddaeth rhyw deimlad fel dŵr codi ar ffordd sech. Yr oedd y babi yno ac yn fyw. Yr oedd wedi ei anwylo er dydd ei eni, ond yn awr gwelai ef yn drysor i'w anwylo fwy, i'w foli fel duw bach, i'w ddandlwn a'i ymgeleddu. Cododd ef o'i grud a'i wasgu yn ei chesail, a'i gusanu, a'i gŵr yn edrych yn hurt arni.

" A dyma beth gawson ni ar ôl aros am ddeuddeng mlynedd, plentyn heb fod yn gall," meddai Huw.

" Taw," meddai hithau, " â siarad mor amrwd. Paid â sôn am blentyn heb fod yn gall. Glywaist ti beth ddwedodd y doctor — y bydd o'n cryfhau ymhob ffordd fesul tipyn. Mwya'n y byd o ofal sydd ar y peth bach i eisio."

" Mi fasa'n well tasa fo wedi cael marw wrth i eni."

" Na fasa," (yn boeth) " na fasa. Sbïa gymaint o bleser mae o wedi i roi inni'n barod. Yn trysor ni ydi o."

" I chdi, ella, ond nid i mi. 'Dydi o'n gwneud dim ond crïo pan afaela i yn'o fo."

" Clywed dy freichiau di'n wahanol y mae o."

" Fedra'i mo'i anwylo fo."

" Mi ddoi fel y cryfheith o."

" 'Does dim arwydd cryfhau arno fo."

Yr oedd y misoedd cyn geni'r plentyn wedi bod yn rhai hapus i Sal a Huw. Pan wybuant gyntaf fod gan Sal obaith magu, yr oeddynt fel dau blentyn eu hunain. Nid oedd neb arall erioed wedi disgwyl plentyn ond hwy, gallech dybio. Ef a lanwai eu meddyliau bob munud effro o'u bywyd. Ni fyddai Sal yn stopio gwau. Âi ymlaen gan ddangos ei gorchest fel plentyn, pan ddeuai rhywun yno. Cliriai Huw'r grât yn y bore cyn cychwyn am ei waith, a'i osod yn barod i'w gynnau, ac âi â phaned o de i Sal i'w gwely. Aent am dro ym min tywyllnos gyda'i gilydd fel dau gariad, a siaradent am y babi fel petai eisoes wedi cyrraedd. Os bachgen fyddai, Iolo fyddai ei enw. Os geneth, Branwen. Credai Huw y byddai'n blentyn clyfar, gan eu bod ill dau yn weddol hen, yr un fath â Joni Jones a gafodd dri dosbarth cyntaf yn ei radd; ond tybiai hi mai coel gwrach oedd hyn, er ei bod yn gobeithio fod y goel yn wir. Yr oedd hi am ei ddilladu cyn grandied ag y caniatâi modd. "Cyn grandied ag y medrwn," meddai yntau, "petai'n rhaid inni wneud heb bethau ein hunain." Âi'r ddau i'r tŷ i freuddwydio breuddwydion.

Yr oedd eu llawenydd yn berwi trosodd pan gafwyd geni gweddol hawdd a bachgen nobl. Galwyd ef yn Iolo; yr oedd Sal wedi penderfynu cael enw nad oedd yn bod yn yr ardal o gwbl. Ond ymhen rhyw ddeufis sylwodd hi nad oedd y babi yn ymateb rhyw lawer i'w amgylchfyd. Yr oedd ei lygaid yn fychain, a heb fod yn cymryd sylw o fawr ddim, ddim o'r lamp drydan hyd yn oed. Byddai'n wyllt ar byliau a methid ei dawelu, a dyma'r pryd y dechreuodd grïo pan gymerai ei dad ef yn ei freichiau. Byddai'n rheibus iawn am ei botel hefyd.

Yna fe ddaeth y siom fawr ymhen ychydig fisoedd wedyn pan ddywedodd y meddyg wrthynt. Newidiodd Huw yn hollol, ac aeth i'w wely y noson honno fel dyn wedi pwdu. Ac wedi pwdu yr oedd, wrth beth na phwy yr oedd yn anodd dweud. Penderfynodd Sal gysgu ar y soffa wrth ymyl Iolo yn ei grud. Ni chysgodd. Cododd Huw fore trannoeth, ond ni ddywedodd air wrth fwyta'i frecwast.

"Yli, Huw, rhaid inni gymryd ein tynged."

"Tynged greulon iawn, rhaid bod un ohonon ni wedi pechu."

"'Waeth inni heb na sôn am bethau fel'na, ac oglau gwrachod

arnyn' nhw. Mi ŵyr y doctoriaid mai rhyw anghaffael ar y corff yn rhywle ydi o."

" 'Rwyt ti'n iawn, a 'rydw i'n gwybod mai treio gafael mewn brwynen i ffeindio rheswm yr ydw i wrth sôn am y coelion gwrachod yma. Ond pam 'roedd yn rhaid i bethau fel hyn ddigwydd i ni? "

" Fedrwn ni byth ddweud, rhaid inni i dderbyn o. 'Rydw i'n siŵr yr eith y peth bach mor annwyl yn ein golwg ni fel y bydd o fel unrhyw fachgen iawn."

" 'Dwn i ddim. 'Roeddwn i wedi rhoi mryd ar hogyn clyfar."

" 'Dydi plant clyfar ddim haws i'w magu nac yn fwy annwyl."

Ond newidiodd Huw yn hollol. Aeth conglau ei geg i droi at i lawr a'i fwstas hefyd. Edrychai fel Tsinead ac mor sur â phot llaeth cadw. Ond am Sal, troes ei dywediad yn gywir; aeth Iolo mor annwyl ag unrhyw blentyn iawn yn ei golwg, yn fwy felly, oblegid fod ei wendid ef yn barod i dderbyn cryfder ei chariad hi. Amheuai'r cariad weithiau, mwy o dosturi efallai, oblegid fe'i câi ei hun o hyd ac o hyd yn mynd yn erbyn ffawd galed, ac yn meddwl beth petai fel plentyn arall, mor ddilychwin y byddai ei chariad tuag ato. Ond fesul tipyn, aeth ei thosturi mor gryf fel na allai ei alw'n ddim ond cariad.

Ar y cychwyn, poenai beth a ddywedai ei chymdogion. Byddai'n fêl ar fysedd rhai, yn achos cydymdeimlad i'r lleill. Ond penderfynodd nad oedd am sylwi ar ymateb pobl. Yn ôl ei breuddwyd cyn geni Iolo penderfynodd gael y pethau gorau iddo. Gwelodd hysbyseb mewn papur am goets bach ail-law, gan rywun y gwyddai amdani, dynes gefnog. Yr oedd cystal â newydd, nid hen ledr caled oddi mewn iddi, ond lledr mor ystwyth â maneg cid. Prynodd hi a phrynodd gantel sidan, liw hufen i'w rhoi drosti yn yr haf. Pan âi i lawr i'r pentref, troai pobl i edrych arni, ond ni wyddai pa un ai at y goets yr edrychent ai disgwyl cael cip ar y babi. " Piti na fuasai wedi cael marw," meddai un. " Mi gewch weld y daw o'n well," meddai un arall. " Mae o'n beth bach annwyl iawn, ac yn gysur," meddai un arall. Dim gwahaniaeth os oeddynt yn rhagrithio.

Fel y prifiai'r babi, ceisiai Huw ymddiddori ynddo, ond yr oedd ef yn dioddef o hyd oddi wrth yr ysgytiad cyntaf. Edrychai arno bob gyda'r nos wedi dyfod o'i waith. Ceisiai ei ddenu trwy wneud sŵn anifeiliaid, ond ni thyciai dim. Troai Huw i ffwrdd oddi wrtho fel cath yn synhwyro'i bwyd ac yn ei adael. Nid bod y babi yn cymryd llawer o sylw ohoni hithau ychwaith, ond yr oedd hi yn ei garu fel yr oedd, a heb fod yn disgwyl ymateb. Yr oedd o'n blentyn iddi hi, ac yr oedd hynny'n ddigon iddi. Aeth Huw yn fwy cuchiog a checrus a gwelai fai yn rhywle o hyd; a'r babi a gâi'r bai yn y pen draw. Un prynhawn, aethai Sal am dro i'r mynydd efo'r goets bach. 'Roedd hi wedi cael rhyw syniad y buasai awyr iach yn gwneud Iolo yn debycach i blant eraill. Eisteddodd ar garreg a Iolo yn dawel yn ei goets yn yfed yr awyr iach, debygai hi. Yr oedd mor braf wrth gael edrych ar blu'r gweunydd yn ysgwyd. Disgwyliai y byddai Iolo yn sylwi arnynt. Arhosodd ac arhosodd, ac erbyn iddi gyrraedd adref, yr oedd Huw yno o'i blaen. " Mi es i ag Iolo am dro i'r mynydd (siaradai amdano erbyn hyn, ac yntau'n ddwyflwydd oed, fel petai'n fachgen mawr yn ei lawn dwf ac yn bartner iddi); dyma'r tro cyntaf i hyn ddigwydd."

" Nid dyma'r tro diwaetha, tra byddi di'n moli'r hogyn yma."

Brysiodd wneud y bwyd. Gwyddai ei bod ar fai yn esgeuluso Huw, ond yr oedd bod yng nghwmni Iolo wedi mynd yn drech na hi, rhwng disgwyl iddo wella a'i chariad tuag ato.

" Mae'n ddrwg gen i, Sal."

" Am beth? "

" Am imi gwyno ynghylch y bwyd."

" Twt, anghofia fo."

Dechreuodd ef wneud sŵn crïo.

" Mi fasa'n dda gen i fedru i garu o fel 'rwyt ti, ond fedra'i ddim."

" Biti. Mi fasa'n bywyd ni'n mynd yn ôl i'r fel yr oedd o, pan oedden ni yn i ddisgwyl o. Amser braf oedd hwnnw."

" Ia, 'roedd peidio â gwybod yn obaith y pryd hwnnw."

" Mae o'n obaith o hyd."

" Wela i ddim arwydd o hynny."

Ond yn wir, ymhen ychydig, wrth gael ei olchi dangosodd Iolo ei fod yn medru sefyll ar ei draed, a cherddodd at ei dad a rhoi ei bwysau ar ei lin. Edrychodd Huw arno a gwenu.

" Piti na fuasai'n siarad eto," meddai'r tad.

" Mi ddaw hynny hefyd."

" Os daw o, mi awn ni at brifathro'r ysgol newydd yna i ofyn gaiff o fynd yno."

" Mi fydd yn llawn digon buan ymhen dwy flynedd. Dim ond tair oed ydi o."

Rhoes hi ei ddillad nos amdano a'i gerdded i fyny i'r llofft, ei chalon yn ysgafnach nag y buasai o gwbl. Ni siaradai Huw yn frwdfrydig iawn wedi iddi ddyfod i'r gegin; ni cheid fawr ddim ganddo ond y dymuniad i Iolo fedru siarad. Hynny fuasai yn dangos fod ganddo ddeall, yn ei dyb ef.

Aeth Sal ato a'i gusanu.

" Huw, treia weld gwelliant eto yn'o fo."

" Mi fydda'i ar ben fy nigon pan ddwedith o rywbeth."

Yr oedd blwyddyn er hynny, ac âi hithau dros y pethau hyn i gyd yn y gwres yn y cae bach y prynhawn yma. Yr oedd pob man yn ddistaw, ac eithrio bod y mochyn yn rhoi ambell rochiad, a bod yr eithin yn clecian. Yr oedd ei meddwl yn anniddig iawn. Poenai ei bod hi a Huw wedi mynd mor bell oddi wrth ei gilydd, ac eto, ofnai i Huw ddyfod i ennill serch Iolo i gyd ac iddi hithau ei golli. Ofnai i Iolo farw. Beth a wnâi hi wedyn heb ei gariad. Meddwl beth petai hi ei hun yn marw, ac y buasai'n rhaid i Iolo fynd i ryw gartref lle na châi dosturi na chariad. Poenai hefyd fod Iolo mor grïog, mewn tymer ddrwg mor aml, ac yna mor serchus. Poenai ei fod mor hir yn dysgu rheoli gweithgareddau ei gorff, er bod hynny'n dyfod yn araf. Yr oedd yn rheibus hefyd. Ond ceisiai ei chysuro ei hun y buasai'n medru ei reoli ei hun gyda'r pethau hyn ymhen tipyn, yr un fath ag y dysgodd gerdded. Yr oedd ei phen yn un pwll tro o feddyliau pryderus. Cusanodd Iolo, achos hyn i gyd. Yng nghanol hyn edrychodd ddeugain mlynedd i'r dyfodol, a gallai glywed rhywrai'n pasio'r tŷ ac yn dweud:

"Ydach chi'n cofio Sal Huws yn byw yn fan'ma? 'Roedd gynni hi hogyn bach heb fod yn iawn. Beth ddaeth ohono fo tybed?"

Yn ei ddweud yn ddilachar, fel ffaith mewn papur newydd, a hithau heddiw yn gyforiog o bryder a phoen, na wyddent hwy ddim amdanynt; ei meddwl fel og ar gae tail. Ni wyddent am ei llawenydd ychwaith. Yna cymerodd ei meddwl drywydd arall. Yr oedd hi wedi cael blynyddoedd hir o fywyd hapus ar ôl priodi, ond hapusrwydd diofal mis mêl ydoedd. Cariad yn cynnwys gofal oedd ei chariad at Iolo, cariad â'i thu mewn yn brifo. Gallai weiddi fel Jeremeia, "Fy mol, fy mol."

Yna dechreuodd Iolo stwyrian. Tybiodd am eiliad ei fod ar fin cael pwl o dymer ddrwg. Gwnaeth sŵn yn ei wddf a phwyntio i gyfeiriad y mochyn.

"Ny—," meddai, ac edrych ar ei fam. Pwyntiodd wedyn ar y mochyn.

"Nioch," meddai'n groyw, a "Nioch" wedyn a wedyn. Crïodd Sal o lawenydd; yr oedd wedi dweud rhywbeth o'r diwedd. Byddai Huw wrth ei fodd. Ar hyn, daeth gwraig y tŷ nesaf allan, a chamera yn ei llaw.

" Yr oeddwn i yn ych gweld chi mor hapus," meddai, " a meddyliais y baswn i'n licio tynnu'ch llun chi."

Yn rhyfedd iawn, nid oedd Sal erioed wedi meddwl am dynnu llun Iolo. Tybiai, wedi i Iolo dyfu'n fawr na buasai'n hoffi ei weld ei hun, fel yr oedd yn awr.

" Pam yr ydach chi'n crïo, Sali? "

Eglurodd hithau. Cododd y gymdoges ei breichiau mewn llawenydd.

" O, mae'n dda gen i. Rhaid inni gael y llun yma i ddathlu'r amgylchiad."

Yr oedd Iolo yn dal i bwyntio at y mochyn, a meddyliodd Sal y byddai'n cadw'r mochyn i farw o farwolaeth naturiol. Nid oedd mochyn a enynnodd y fath ebychiad yn haeddu cyllell y cigydd. Tybiai rŵan y byddai'r surni a'r ffrygydu rhyngddi hi a Huw drosodd, efallai, oni fyddai ei wenwyn at Iolo yn esgor ar ryw esgus arall dros beidio â'i garu. P'run bynnag, byddai'n rhaid iddi wynebu hyn a gobeithio. Yr oedd y bywyd mis mêl drosodd, a hyd yn oed os dangosai Huw ei wenwyn, yr oedd ganddi ofal; rhywbeth a roddai amcan i'w bywyd, yn lle rhyw wastadedd undonog o hapusrwydd.

DYCHWELYD

CERDDAI'N ysgafn-galon i fyny'r lôn a âi oddi wrth ei thŷ gan ysgwyd ei basged negesi. Yr oedd yn hapus am ei bod wedi gorffen ei gwaith, ac edrychai ymlaen at gael noson o ddarllen wrth y tân. Daeth criw mawr o fechgyn ysgol i lawr y lôn; aeth hithau heibio iddynt heb gymryd sylw ohonynt. Wedi iddynt ei phasio dyma rai ohonynt yn ei dynwared fel y byddai yn eu rhwystro rhag mynd ar gefn eu beiciau ar lôn breifat. Dywedodd hithau y byddai yn anfon at eu prifathro i gwyno ynghylch eu hymddygiad. Ar hynny, dechreuasant weiddi'r iaith futraf a glywsai erioed, iaith ry fudr i'w hail-adrodd. Aeth yn ei blaen dan blygu ei phen, ei chrib wedi ei dorri. Yn y dref yr oedd pobl ieuainc y siopau yn hynaws, ond ni allodd hynny leddfu dim ar ei dolur. Pan ddaeth adref eisteddodd ar gadair i synfyfyrio. Sylweddolodd nad oedd hi yn da i ddim erbyn hyn, dim ond rhyw hen greadur oedd yn destun gwawd i labystiaid o hogiau ysgol. Yn ei dyddiau hi yr oedd ysgol yn sefyll dros foneddigeiddrwydd. Erbyn heddiw nid oedd ddim gwell na chartref ciaridymod a'i hiaith yn iaith gwlad yn mynd i'r trueni. Yn lle darllen, aeth i dosturio wrthi hi ei hunan.

*　*　*

Cerddodd i fyny at y mynydd a gwelai'r tŷ â'r un ffenestr yn ei dalcen fel dyn unllygeidiog yn edrych ar y rhostir maith. Ysgydwai plu'r gweunydd yn yr awel, a hedai'r cornchwiglod o dwll i dwll. Cerddodd hithau i lecyn gwyrdd wrth ymyl y tŷ a cher twmpath o rug lle y buasai defaid yn pori, a gorwedd yno. Clywai Leusa Parri yn cerdded ôl a blaen o flaen ei thŷ yn ei chlocsiau dan ysgwyd pwcedi. Â chil ei llygad gwelai gorn carw'n tyfu'n gyd-wastad â'r ddaear trwy'r grug. Dechreuodd ei dynnu'n araf, dim ond er mwyn ymyrraeth, i weld a lwyddai i'w dynnu'n un darn cyfa. Nid oedd arni ddim o'i eisiau; tynnu er mwyn tynnu. Llwyddodd i gael darn hir a rhoes ef am ei gwddw. Cododd ar ei heistedd i chwilio am ruglus ond ni welodd yr un. Cystal hynny oblegid nid oedd ganddi lestr i'w dal. Cerddodd at odre tomen y chwarel i chwilio am redyn mynydd neu redyn chwarel. Yr oedd yno dipyn yn tyfu rhwng y crawiau dulas ac yn edrych yn ddigon digalon. Dywedasai ei mam wrthi am beidio â'i dynnu i geisio ei dyfu yn yr ardd wrth ymyl y botwm gŵr ifanc. Marw a wnâi yno am nad oedd yn hoffi ei le, meddai hi. Lle unig oedd o'n ei hoffi, a'i wreiddiau rhwng y crawiau. Cerddodd at y gamfa a mynd drosti i gael golwg ar y cwm lle'r oedd yr afon yn un llinyn llwyd difywyd fel petai wedi stopio rhedeg. Yr oedd yn filan wrth y cwm hwn pan ddarganfu ef gyntaf. Yr oedd hi wedi meddwl nad oedd dim yn y byd ond ei mynydd hi, y pentref a'r môr o'i flaen cyn belled ag y gallai weled. Siom iddi oedd gweld bod llefydd eraill yn bod. Eisteddodd wedyn, tynnu ei hesgidiau a'i sanau a rhoi ei thraed ar fwsog gwlyb.

Yr oedd y falwen yn yr ardd, un dew a bol gwyn ganddi. Dyma hi'n adrodd uwch ei phen:

"Malwen, malwen, estyn dy bedwar corn allan
Ne mi tafla'i di i'r Môr Coch at y gwartheg cochion."

Dyma'i phedwar corn yn neidio allan fel pigau pennor. Rhaid ei bod yn hoffi'r pennill achos yr oedd hi'n edrych mor dalog. A hi, Annie, oedd wedi gwneud iddi ufuddhau.

Deuai o'r beudy i'r tŷ yn cario cath bach yn ei brat, y gath fawr yn ei dilyn. Rhoes y gath bach ar y bwrdd, a dyma hi'n cerdded yn wysg ei hochr at y lle'r oedd ei mam yn gwneud teisen does ar lechen las. Cyn y gellid ei rhwystro yr oedd hi'n sefyll ar y deisen. Wrth iddi hi a'i mam weiddi neidiodd y gath fawr ar y bwrdd. Dyma hi a'i mam yn dechrau chwerthin. Dywedodd ei mam y câi gadw'r gath bach gan nad oedd dim ond un y tro hwn, os gwnâi edrych ar ei hôl a gofalu mynd â hi i'r beudy i'w gwely bob nos.

Deuai hi a'i brodyr adref o'r ysgol drwy storm fawr o wynt a glaw. Yr oedd y glaw fel cynfas fawr lwyd resog o'u blaenau, a cherddent â'u pennau i lawr. Disgynnai'r dafnau glaw ar eu hwynebau, caeënt eu llygaid, ni allent dynnu eu hancetsi poced allan i'w sychu. Disgynnai'r dafnau oddi ar odre eu cotiau i mewn i'w hesgidiau. Pan ddeuai pwff o wynt yr oedd yn rhaid iddynt stopio a gafael yn ei gilydd. Yr oedd y filltir yn hir. Daeth y fam i gyfarfod â hwy tua hanner y ffordd efo cotiau, ond nid oedd ddiben eu rhoi drostynt. "Rŵan, at y tân yna, a gollyngwch bob cerryn ar lawr." Yr oedd mor anodd tynnu'r sanau gan eu bod wedi glynyd yn y croen efo'r glaw. Cymerodd eu mam liain a'u sychu o flaen y tân coch; yr ager yn mynd i fyny oddi wrth eu cyrff. Mor braf oedd y gwres ar ôl y gwlybaniaeth creulon ar eu crwyn. Estynnodd y fam ddillad isaf glân cynnes o'r popty bach, a rhoi eu siwtiau gorau amdanynt. Yna y powleidiau potes poeth wrth y bwrdd.

* * *

Yr oedd yn mynd eto at y mynydd. Yr oedd wedi penderfynu gwneud hyn cyn mynd i weld ei thad a'i mam. Mor braf fyddai eu gweld eto, cael sgwrs wrth y tân, a chael dweud wrthynt am yr hen hogiau rheglyd hynny. Gallai deimlo'n dalog efo'i rhieni, ac nid yn "swp bach sbyblyd." Chwiliodd am y llwybr ond ni allai ei ganfod. Nid oedd dim i'w wneud ond cerdded drwy'r grug. Nid oedd defaid ar y mynydd ychwaith, felly nid rhyfedd nad oedd yno lwybr dafad. Yr oedd y tŷ yno o hyd efo dau lygad erbyn hyn. Yr oedd wedi anghofio dyfod ag anrheg i'w rhieni. Fe âi i'r tŷ i ofyn i Leusa Parri am furum gwlyb i wneud bara haidd. Erbyn iddi fynd yno, rhywun arall oedd yn byw yno, Saesnes, ni wyddai beth oedd burum gwlyb. Troes ei chefn a rhoi clep ar y llidiart. Aeth at y gamfa gan ddyheu am weld y cwm arall. Yr oedd y rhan fwyaf o'r tai wedi mynd a ffatri fawr yn sefyll yng nghanol y cwm. Brysiodd oddi ar y gamfa a rhedodd at y domen chwarel. Nid oedd sŵn llwyth yn disgyn oddi ar ben y domen. Edrychai'r crawiau'n hen, fel petaent wedi eu taflu yno ers blynyddoedd, yn glynu yn ei gilydd. Yr oedd yno ychydig blanhigion o redyn mynydd yn edrych yn fwy unig nag erioed. Yr oedd arni flys tynnu peth ohono, ond cofiodd eiriau ei mam ers stalwm. Yr oedd ar frys yn awr am weld ei rhieni. Troes yn ôl. Yr oedd y môr o'i blaen fel erioed heb newid dim. Cofiodd fel y byddai'r athro yn yr ysgol yn dweud hanes Math a Gwydion a oedd yn byw wrth lan y môr, fel y byddent yn newid pethau efo'u hudlath. Gresyn na fyddent yno rŵan i newid y mynydd i'r fel yr oedd ers talwm. Penderfynodd fynd i weld y ffrwd yr ochr isaf i'r ffordd. Yno yn ymddolennu trwy'r dŵr yr oedd un brithyll unig, yn troi'r dŵr yn donnau bychain wrth ben y graean gwyn. Syllodd arno'n hir; yna torrodd allan i ganu dros bob man:

"Ti, frithyll bach, sy'n chwarae'n llon
Yn nyfroedd oer yr afon."

Yna fe'i cafodd ei hun yn beichio crïo wrth edrych ar y brithyll. Wrth ddyfod i fyny oddi wrth y ffrwd, baglodd a syrthiodd. Yr oedd ei phen glin yn gwaedu ac yn boenus. Meddyliodd am eiliad na allai byth gerdded i'w hen gartref. Ffeindiodd y gallai gyda herc. Wedi mynd i'r ffordd gwelodd griw o labystiaid o hogiau efo gwalltiau hir budr yn dyfod, yr un fath â'r hogiau ysgol a'i rhegodd. Cerddodd cyn nesed ag y medrai i'r clawdd, eithr daethant hwythau yn nes i'r clawdd, a meddai un ohonynt:

" Gwthiwch hi i'r wal i'r diawl, 'does dim eisio i beth hen fel hyn gael byw."

" Wnewch chi ddim ffasiwn beth," meddai llais rhyw ddyn y tu ôl iddynt, " ewch adra i'ch gwlad ych hun. Rŵan, 'y ngenath i, cerddwch yn ych blaen, ac mi gerdda' inna y tu nôl i chi."

Yr oedd wrth ei bodd fod rhywun wedi ei galw'n ' eneth ' a hithau'n hen.

" Dyna chi," meddai'r dyn, pan ddaethant i'r pentref, " mi fyddwch yn iawn rŵan."

Yr oedd tai, tai ymhobman. O'r diwedd, canfu ei hen gartref yn ymguddio rhwng dau dŷ.

Curodd yn ysgafn ar ddrws y portico, a rhoi ei phen i mewn yn y gegin cyn ei gau. Ciliodd y boen o'i phen glin yn sydyn. Yr oedd y gegin fel petai caenen o niwl drosti, ei thad a'i mam fel cysgodion yn ei ganol. Yr oedd eu hwynebau o liw pwti llwyd-wyrdd, eu bochau yn bantiau ac yn bonciau, eu gên a'u trwynau crwbi bron yn cyrraedd ei gilydd. Edrychent fel cartwnau ohonynt eu hunain. Eto medrai eu hadnabod. Yr oedd y tân yn isel yn y grât.

" Dyma hi wedi dwad o'r diwedd," ebe'r tad.

" Mae hi wedi bod yn hir iawn," ebe'r fam, " a finna wedi dweud wrthi am frysio."

" Mi ddois cynta y medrwn i. 'Roedd yna hen grymffastiau o hogiau ar y ffordd."

Ni chymerodd yr un o'r ddau sylw o hynny.

" Mae'r bwyd yn dy ddisgwyl di ers blynyddoedd," meddai'r fam; " mi fytwn ni rŵan."

Yr oedd yno gig oer, brechdan a the, ond nid oedd blas dim ar yr un ohonynt. Fesul tipyn cliriai'r niwl, ac fel y deuai'r gegin yn oleuach, deuai wynebau'r ddau yn fwy naturiol: codai'r pantiau. Daeth gwrid i fochau'r tad; aeth wyneb y fam yn llwyd naturiol. Daeth eu trwynau'n ôl i'w ffurf gynt. Aeth y tai o gwmpas y tŷ o'r golwg. Daeth y cae yn amlwg efo'r goeden a'r iâr a'r cywion. Daeth tân siriol i'r grât a goleuodd y gegin i gyd. Gwenai'r tad yn hapus; daeth tiriondeb glas i lygaid y fam.

"Gadwch i'r hen gig yna," meddai hi, "mae gen i deisen does."

Tynnodd blatiad o'r popty bach, yn nofio mewn menyn.

Curodd y ferch ei dwylo.

"Fel ers talwm. Oes gynnoch chi siwgwr coch?"

"Dyna fo ar y bwrdd."

"O, mae hi'n dda. Ydach chi'n cofio fy nghath bach i yn cerdded i'ch teisen does chi?"

"Ydw," a chwarddodd y fam. "Dim ond cofio sydd rŵan."

"Ia."

Yr oedd ar fin sôn am yr hen hogiau hynny a'u hiaith fudr, ond yr oedd mor hapus fel y penderfynodd beidio â sôn rhag tarfu ar y sgwrs.

"Ydach chi'n cofio, nhad, y moch yn dengid o'u cwt ganol nos ar wynt mawr gefn gaea', a chithau yn rhedeg ar eu holau hyd y weirglodd yn ych trôns?"

Chwarddodd y tri yn aflywodraethus.

Ydach chi'n cofio? Ydach chi'n cofio? a hithau ar fin gofyn, Lle mae ——? Lle mae ——? Lle mae'r lleill?

Ond i beth y tarfai ar yr hwyl yma?

"Lle mae'ch pibell chi, nhad?"

"'Dydw i ddim wedi cael smôc ers blynyddoedd. 'Does gen i ddim baco."

Yr oedd ganddi sigarennau yn ei bag, ond beth a ddywedai ei mam pe tynnai hwy allan? Câi dafod iawn. Ond yr oedd rhoi pleser i'w thad yn fwy pwysig na chael drwg am bechod cudd.

" Hwdiwch," meddai, " rhowch ddwy o'r rheina yn ych pibell."

Gwenodd y fam.

" Mi gymera' innau un," meddai, " rydw i'n cofio fel y byddai fy modryb yn dwad acw ac yn smocio pibell."

" Beth nesa? " meddai Annie wrthi hi ei hun, mewn syndod agos i fraw; cymerodd hithau un.

A dyna lle'r oedd y tri yn smocio, mor hapus, mor hapus. Lle'r oedd y lleill? Lle'r oedd y lleill? Na, nid oedd am ofyn. Cyrliai mwg glas ysgafn i fyny i'r awyr. Aeth yr haul o'r golwg. Dechreuodd nosi. Dechreuodd eu hamrannau ddisgyn dros eu llygaid fel mewn cerflun. Aeth y tri i gysgu.

TORRI TRWY'R CEFNDIR

F'ANNWYL Margiad,

Mae'n debyg y synnwch gael llythyr gennyf mor fuan ar ôl imi eich gweld. Yr oedd yn garedig ynoch ddyfod i'm danfon yma ddoe i dŷ fy chwaer, ond yn hollol nodweddiadol o'ch caredigrwydd tuag ataf drwy'r pymtheng mlynedd y bûm yn byw yn Aberdwynant. Yn ystod yr amser yna dylwn fod wedi dweud wrthych am yr hyn a ddigwyddodd i mi cyn imi ddyfod i'ch tref i fyw. Bûm ar fin dweud wrthych lawer gwaith, ond gwyddwn y buaswn yn baglu ac yn hic-hacio wrth fynd ymlaen â'm stori, ac y buaswn yn rhoi'r argraff mai stori wneud oedd hi er mwyn cael cydymdeimlad. Fe aeth yr amser ymlaen, a minnau heb ei dweud, nes o'r diwedd teimlwn nad oedd werth ei dweud. Trennydd byddaf yn mynd i'r ysbyty i gael triniaeth fawr, ac ni wn beth a ddigwydd. Petawn yn marw, ac i chwithau glywed yr hanes wedyn, byddech wedi eich siomi ynof, ac yn methu deall pam na fuaswn wedi dweud yr hanes wrthych. Rhyw ofn swil oedd y rheswm. Digon posibl eich bod yn gwybod rhywfaint o'r stori, ond buoch yn ddigon call i beidio â holi, rhag ofn fy mrifo reit siŵr. Trwy ysgrifennu fel hyn, medraf beidio â hic-hacio, a gwneud fy meddwl yn gliriach, a thrwy hynny fod yn decach tuag at bawb.

Gwyddoch, wrth reswm, mai yn Abertraeth mewn ysgol yr oeddwn i cyn dwad i Aberdwynant, ac yno fe syrthiais mewn cariad â bachgen o'r un oed â mi, tua phump ar hugain. I bob golwg yr oedd yntau mewn cariad efo minnau. Os bu dau wedi gwirioni am ei gilydd erioed, y ni oedd y ddau. Fel y rhan fwyaf o gariadon teimlem nad oedd neb wedi bod mewn cariad o'r blaen ond y ni. Yr oeddwn mor hapus fel y gweithiwn yn galed drwy'r dydd er mwyn gweld y diwrnod yn gorffen ac y cawn fynd allan efo Tom. Yr oedd yn fachgen eitha golygus, canolig o ran taldra, gyda gwallt gwinau tonnog a llygaid glas. Wyneb hynaws yn llawn gwên yn wastadol. Dyna a'm denodd: ni ddeuai'r wên fyth i ffwrdd oddi ar ei wyneb. Yr oeddwn ormod mewn cariad i sylwi ar nodweddion ei gymeriad nac i geisio gweld beth oedd ymateb yr athrawon eraill iddo, a oedd yn hoff ganddynt neu ddim, ac ar y pryd ni buaswn yn malio pa'r un: y fi oedd piau o, ac ni buasai barn anffafriol yn cael dim effaith arnaf, oblegid pe baem yn priodi, y fi fuasai raid byw efo fo. Nid oeddwn ond pump ar hugain oed, yr oed hwnnw pan mae popeth yn y radd eithaf, o ddaioni gan fwyaf, pawb yn neis, heb ddigon o brofiad o fywyd, i weld tyllau mewn cymeriadau, nac i weld tyllau mewn bywyd ei hun. Byddwn yn dyheu am weld diwrnod yn dirwyn i ben er mwyn cael mynd allan efo Tom, a'r ffordd orau a welais i weld dydd yn darfod oedd rhoi fy holl egni ar waith, ac nid breuddwydio.

Nid oeddwn yn hoffi cael fy mhryfocio gan fy mod yn meddwl nad testun pryfocio oedd caru. Gwyddwn fy mod yn hen ffasiwn yn hynny o beth. Wrth edrych yn ôl rŵan, mae'n debyg fy mod mor feddiannol o Tom fel na fedrwn rannu hwyl ar ei gorn. Byddwn yn teimlo hefyd mai gwastraff amser oedd mynd i barti lle byddai o yno, y byddai'n well inni fod allan ar ein pennau ein hunain. Ni byddai ganddo lawer i'w ddweud mewn cwmni. I mi, 'roedd hynny'n arwydd y buasai yntau'n hoffi bod allan efo mi. 'Rwyf yn barnu'n wahanol erbyn hyn. Treuliem y Sadyrnau yn cerdded y wlad a'r bryniau, a gorffen mewn rhyw dŷ bwyta bach clyd, lle y byddem yn sgwrsio nes dechreuai dywyllu, a cherdded adref, fy mynwes i, beth bynnag, yn ddigon hapus i ganu dros y wlad.

Ambell dro byddem yn ymweld â hen fodryb i Tom oedd yn byw ar ei phen ei hun mewn bwthyn ar lethr bryn, a chaem de a chroeso mawr ganddi. Teimlwn eisoes fy mod yn un o deulu Tom, er mai'r fodryb yma oedd yr unig un o'i deulu yr oeddwn wedi cyfarfod â hi. Yr oedd hi'n hynod glên, ac yn methu gwneud digon i mi. Y tro dwaethaf y buom yno meddyliwn nad oedd Tom mor gysurus ag arfer. 'Roedd mewn brys am gael mynd oddi yno. Fel yna y treuliem yr amser. Buom efo'n gilydd yn nhŷ fy chwaer Lil hefyd (lle yr wyf rŵan) yng Nghaer Afon. Braidd yn oeraidd oedd hi, ond mae hi yn cymryd tipyn o amser i fod yn hy efo pobl ddiarth, ac ni feddyliais fwy am y peth.

Un dydd Sadwrn yr oedd gan Tom bwyllgor athrawon yn Llan y Gaer a threfnasom i beidio â mynd i grwydro. Codais innau'n hwyr a chael brecwast yn fy ngwely. Daeth fy ngwraig lety â'r llythyrau i fyny, a synnais weld un oddi wrth Tom. Agorais ef yn frysiog, ac wedi ei ddarllen, deliais ef yn fy llaw gan geisio amgyffred ei gynnwys. Dweud yr oedd fod yn rhaid i'n carwriaeth ddwad i ben, ei fod wedi syrthio mewn cariad efo un arall o'r ysgol, Miss Griffith yr athrawes hanes. Wedi ei ddarllen, teimlwn fy mod yn berson arall yn perthyn i fyd arall. Pan ddaeth Mrs. Williams i fyny i nôl yr hambwrdd sylwodd nad oeddwn wedi bwyta dim. Dywedais nad oeddwn yn teimlo'n rhy dda. Nid oeddwn am iddi hi gael gwybod rhag ofn nad oedd y newydd yn wir, oblegid ni fedrwn gredu ei fod yn wir. Nid oeddem wedi cael ffrae nac unrhyw anghydfod. Ond yr oedd y llythyr yno o'm blaen yn mynegi'r ffaith. Gwisgais amdanaf tan grynu ac euthum i dŷ'r prifathro. Dywedais fy neges wrtho'n syml, yr hoffwn gael fy rhyddhau o'r ysgol ar unwaith. Dywedodd fod yn ddrwg iawn ganddo, ond na fedrai fy rhyddhau heb roi rhyw gymaint o rybudd er mwyn iddo gael rhywun arall. Dywedodd y byddai'n ddrwg iawn ganddo fy ngholli, ond ei fod yn gweld y byddai'r sefyllfa yn un gas gan fod y tri ohonom yn yr ysgol. Gelwais yn llety un o'm ffrindiau o blith yr athrawon ar fy ffordd yn ôl. Wedi iddi glywed y newydd, rhedodd i'r gegin, a chyn pen dim yr oedd yn ôl efo cwpanaid o goffi a brechdan blaen.

"Hwdiwch," meddai, "yfwch hwnna, 'rydach chi fel corff."

"Rŵan," aeth ymlaen, "mae'n anodd iawn gwybod beth i'w ddweud. Mae'n ddrwg iawn gen i drosoch chi, ond os gwela i fai ar Tom Davies, mi fyddaf yn siŵr o'ch brifo chi, achos yr oeddech chi yn caru eich gilydd: y peth gorau ydi i mi beidio â dweud dim. Mi awn ni am dro i Lan y Gaer y pnawn yma, dim iws i chi fod yn y tŷ yn synfyfyrio."

Bu Miss Norton a minnau yn cerdded y strydoedd yn Llan y Gaer ac edrych ar ffenestri siopau. Aethom i dŷ bwyta bychan tywyll i gael te, ac fel y troem y gornel tuag ato, pwy a welem yn mynd yn y pellter ond Tom a Dela Griffith. Felly dyma lle'r oedd pwyllgor Tom. O drugaredd ni throesant i mewn i'r tŷ bwyta.

Wrth droi oddi wrth Miss Norton y noson honno, meddai hi: "Gwn yn iawn y bydd yn gas arnoch ddydd Llun orfod wynebu pobl, ond wynebwch nhw heb falio. Mi fydd y peth yn hen newydd erbyn dydd Mercher; mi fydd wedi bod ac wedi mynd heibio. Os liciwch chi, mi ddweda i'r newydd wrth y lleill, er mwyn ysgafnu pethau i chi."

Cytunais.

Sylw fy ngwraig lety wedi imi fynd i'r tŷ ydoedd: "Twt, peidiwch â phoeni, mae mwy o bysgod yn y môr nag a ddaliwyd." Sylw gwerinol dynes heb wybod fod caru yn garu ac yn beth o ddifrif i rai, nid yn rhyw foddion i gael gŵr.

Euthum i'r capel ddydd Sul, a'm meddwl ar yr un peth.

Meddwl amdano fel ffaith, ac nid ceisio chwilio am resymau dros iddo ddigwydd. Gweddïwn ynof fy hun am gael help i'w anghofio'n fuan, er fy mod yn gweld mai peth afresymol oedd dwad â pheth fel hyn i fyd crefydd, achos serch gwyllt, poeth oedd o, ac nid cariad byd crefydd.

Fe wynebais bobl ddydd Llun gyda mwy o hyder ar ôl i Mr. Ellis, yr athro hynaf, afael ynof yn dadol a dweud:

"Mae'n ddrwg iawn gen i drosoch chi, ond mi gewch chi weld, Ela, ymhen amser mai dyma'r peth gorau allai ddigwydd."

Agorais fy llygaid, ond ni ddaeth esboniad.

"Peidiwch â bod mor ddigalon, cerddwch o gwmpas yr ysgol fel tasech chi'n malio dim, hynny fyddwch chi yma. Mae'n ddrwg gen i ych colli chi. Mi 'r ydach chi'n werth deg o Dela Griffith: iâr bach yr ha' ydi hi, yn ddigon digri, yn arwynebol ddigri, ond 'does yna ddim gwaelod yn fanna."

Ond yr oedd hi'n hardd; slasen o ddynes dal, bryd golau, gwallt cyrliog liw mêl, llygaid yr un lliw, a chorff fel helygen hydwyth yn cerdded y coridoriau fel brenhines, yn ddigri, a'i ha-ha yn atseinio yn y corneli. Cymerais gyngor Mr. Ellis, a cherdded o gwmpas heb gymryd arna' weld T.D. na D.G. Bu agos imi fwynhau'r wythnosau hynny. Ond bob nos yn y tŷ deuai fy meddwl i'r un fan — fy ngholled.

Cefais le yn Aberdwynant, heb fod yn rhy bell oddi wrth Lil, fy chwaer, ac yn ddigon pell oddi wrth Abertraeth rhag imi glywed dim oddi yno. Yr oedd Lil yn gysur i mi am yr ychydig amser y bûm yno. Dywedai hi nad oedd yn hoffi Tom, ac os oedd o wedi medru gwneud peth fel yna, y medrai wneud unrhyw beth pe baem yn priodi.

Pan ddeuthum i Aberdwynant gyntaf, teimlwn fel dynes wedi colli rhywbeth gwerthfawr ac yn chwilio amdano. Gwelais yn fuan y byddwn yn eitha hapus yn yr ysgol ac yn fy llety, ond yr oeddwn yn unig, hyd nes y gofynasoch chi imi ddyfod i swper y nos Sul hwnnw. Profais gysur cynnes eich tŷ a'ch croeso, ac yr wyf wedi dal i'w brofi am bymtheng mlynedd. Ni allaf ddweud fel yr wyf wedi gwerthfawrogi eich cyfeillgarwch a'ch caredigrwydd cyson; cael dyfod i'ch tŷ bryd y mynnwn heb ofni fy mod ar y ffordd. Eto, efallai pan fyddem ar ganol sgwrs ddifyr, fe redai fy meddwl yn ôl at Tom a'n sgyrsiau ni wrth ben y te yn y tai bwyta bach tu allan i Abertraeth. Dyna oedd cefndir fy mywyd yr holl amser, a pheth marw yw cefndir, ond yn ddigon byw i fod yn nam ar bob pleser a gawn.

Priododd Tom a Dela Griffith. Gwelwn mai peth da oedd fy mod wedi gadael Abertraeth. Buasai bod yno a'u gweld yn ŵr a gwraig yn fy lladd o genfigen. Ymhen peth amser cawsant blentyn. Gweld yr hanes yn y papur y byddwn. Am wythnosau wedyn byddwn yn dychmygu mai fi oedd mam y babi, a byddwn yn gweld Tom yn hoffus fel y byddai gynt, ond yn casáu ei wraig. Breuddwydiwn sut y buaswn yn trin y babi, yn ei ddandlwn, yn ei foli a'i gusanu. Yna deuai fy nghastell o freuddwydion yn deilchion i'r llawr. Ymhen ysbaid wedyn byddwn yn ei gasáu yntau, ac o'i gasáu ef, byddwn yn cyffredinoli ac yn dweud mai pethau fel hyn oedd dynion i gyd. Eithr deuwn ar draws dynion a hoffwn yn fawr a gwelwn beth mor ffôl oedd cyffredinoli. Nid yw teimladau rhywun yr un fath am ddau funud yn olynol. Mae posibiliadau pob sefyllfa yn annherfynol. Eto ni welwn feiau yn Tom, dim ond ei gasáu yn un cyfanswm am iddo fy lluchio.

Yna daeth syniad imi yr hoffwn gael cartref i mi fy hun. Fe wyddoch chi hanes prynu'r tŷ a'i wneud yn gartref, ond ni wyddoch y teimladau tu ôl i hynny. Yr oeddwn yn benderfynol o gael cartref del. Prynais ddodrefn hardd, ac wedi ymgartrefu, addolwn y tŷ. Yna gwadd fy ffrindiau yma. Byddwn yn syllu arno, a'i weld mewn goleuni arall, fel pe bawn yn gweld pob ystafell yn groes mewn drych, a thu cefn imi yn y cefndir byddai Tom yma efo mi. Yna dechreuais brynu dillad costus, mynd i'r lle drutaf i gael trin fy ngwallt, dim ond er mwyn anghofio. Ond nid oeddwn yn anghofio. Yr oedd yr holl bethau materol yno fel trysorau mewn drôr er mwyn cael edrych arnynt weithiau.

Gweithiwn gyda'r capel a chyda'r Urdd. Bûm yn ysgrifennydd i'r peth yma a'r peth arall, ond nid oedd fy nghalon mewn dim a wnawn.

Pan oeddwn yn aros gyda Lil ar fy ngwyliau ryw Basg, ymhen tua saith mlynedd, cyfarfûm ag un o athrawon ysgol Abertraeth, a dywedodd wrthyf nad oedd pethau'n rhy dda rhwng Tom a'i wraig, a bod sôn yn yr ardal eu bod am gael ysgariad. Methu cyd-dynnu y maent meddai. "Dydi o ddim wedi gweld neb arall i'w charu'n well," meddai, fel petai'n cofio am ei garwriaeth gyntaf. Dyma ddygyfor a chynnwrf y tu mewn imi eto, wedi imi gyrraedd rhyw wastadedd digynnwrf. Tybed a oedd o wedi 'difaru priodi o gwbl? Tybed a oedd o'n 'difaru fy ngadael i fel y gwnaeth? A oedd wedi ei siomi yn Dela? Fe groesodd fy meddwl i y gallai ofyn i mi ei briodi pe cai ysgariad. Ond dim ond am eiliad. Cwestiwn ofer. Wedi saith mlynedd o anialwch poenus, ofer oedd ail gydio wedyn. 'Roedd y saith mlynedd hynny wedi gwneud fy mlwyddyn i o garu yn ddim ond atgof, ac nid yw atgof yn ddim ond cnoi cil. Tamaid newydd yw'r tamaid cyntaf. Celwydd yw dweud, "Hawdd cynnau tân ar hen aelwyd." Chwilfrydedd personol oedd fy niddordeb yn y newydd.

Ymhen ychydig fisoedd, darllenais yn y papur eu bod wedi cael ysgariad, oherwydd ei greulondeb meddwl ef — y hi i gael y bachgen. Rhyfedd cyn lleied a deimlais. Mynd yn ôl yr oeddwn i ac nid edrych at y dyfodol, ac eto yr oedd y gorffennol wedi ei dorri i ffwrdd.

Ymhen ychydig fisoedd synnwyd fi'n fawr ryw brynhawn Sadwrn wrth weld Dela wrth y drws acw yn gofyn a gâi fy ngweld. Gwahoddais hi i'r tŷ a gwneuthum de iddi. Yr oedd wedi heneiddio. Rhychau wrth ei cheg a'i llygaid, ei gwallt wedi dechrau gwynnu a'i wneud yn felynach nag o'r blaen.

" Mae'n debyg ych bod chi wedi darllen bod Tom a finnau wedi cael ysgariad."

" Do," a rhyw gryndod yn mynd drosof wrth glywed y gair " Tom " ganddi hi.

Yr oedd yn cloffi wrth fynd ymlaen.

" Mi ddar'u imi weld ymhen rhyw ddwy flynedd nad oedd gynno fo fawr o ddiddordeb yn'o i. 'Roedd o yn fy ngwrth-wynebu am bob dim."

" Rhaid i chi gofio," meddwn i, " nad ydi pob dau ddim yn gwneud pâr."

" Mi ddalia i, na fasa Tom ddim yn gwneud pâr efo neb," ebe hi.

" Fedar neb ddweud hynny."

" Dyn eisio tegan am dipyn ydi Tom, a'i daflu i ffwrdd wedyn," ebe hithau, " beth bynnag ddywedwn i, byddai'n tynnu'n groes, ac yn ddiweddar byddai'n tynnu'n groes cyn i mi gael gorffen dweud rhywbeth, nes o'r diwedd byddwn yn peidio â dweud fy marn am ddim. Wedyn byddai yn fy nghyhuddo o fod yn duo ac yn digio. Ac felly o hyd, nes gwelais mai'r peth gorau oedd ymwahanu, yn enwedig er mwyn yr hogyn, oedd yn ddigon hen i ddallt pethau ac i boeni."

" Pam y daethoch chi yma i ddweud y pethau yma wrtha i? "

" Er mwyn i chi ei wrthod petai o'n dwad yma i ofyn i chi 'i briodi. 'Roedd o'n edliw i mi o hyd na fasech *chi* ddim yn gwneud y peth yma a'r peth arall."

" 'Dydi o ddim yn debyg o ddwad."

" Dwn i ddim. Ond 'rydw i wedi'ch rhybuddio chi."

“ Dydw i ddim yn licio cawl eildwym.”

Wedi iddi fynd, teimlwn yn dosturiol tuag ati, ac yn ddigalon. Yna synfyfyriais am wir amcan ei hymweliad. Ai rhybuddio oedd ei hamcan, ai cenfigen, rhag ofn iddo ddwad? Buasai’n well gennyf i petai’r ddau wedi bod yn hapus. Yr oedd y peth yn rhy hen erbyn hyn imi deimlo balchder oherwydd methiant eu priodas. Yr oedd yn dda gennyf na ddaeth â’r bachgen efo hi. Yr oedd hi yn ddigon call i beidio â chodi’r llen oddi ar orffennol ei dad, a buasai wedi rhoi rhyw gynnwrf yn fy nghalon innau. Pe deuai Tom i ofyn imi ei briodi, ni roesai bleser imi o gwbl wedi’r hyn a ddigwyddodd. Yr oedd y gnoc yn y cefndir o hyd, ac ni buasai priodi yn ei diddymu. Trwy drugaredd ni ddaeth. Clywais iddo briodi rhywun arall ymhen dwy flynedd, a Dela ymhen sbel wedyn.

Euthum innau yn fy mlaen yn addoli fy nhŷ, yn darllen, yn cael eich gweld chi, yn gweithio, mynd ar wyliau i’r Cyfandir. Gwelais ddynion a hoffais yn fawr, ond ni’m gwelais fy hun yn priodi.

Rŵan, dyma fi wedi cael cnoc wahanol. Dychryn mawr i mi oedd clywed y meddyg yn dweud fod yn rhaid torri fy mron, hyn yn dangos fod gennyf rywfaint o flas at fywyd er gwaethaf pob dim. Bu’r gnoc gyntaf yn gefndir i’m bywyd am bymtheg mlynedd, yn gefndir, yn lle bod yn llwyfan golau i chwarae arno. Ni threiddiais trwy’r cefndir i’r tywyllwch tu cefn ychwaith. ’Rwyf wedi byw yn arwynebol yr holl amser yma yn lle treiddio i mewn i wir bleser bywyd yn ei olau a’i dywyllwch. Wedi dwad i ystafell aros marwolaeth y gwelaf mor wirion y bûm. Yn wir, bu fy mywyd mor arwynebol fel na allaf ei weld i gyd yn ddim ond ystafell aros i farw.

A oes rhywun wedi medru diffinio a dadansoddi poen a dioddefaint?

Fy nghofion fyth atoch eich dau, gan obeithio y caf eich gweled eto.

ELA

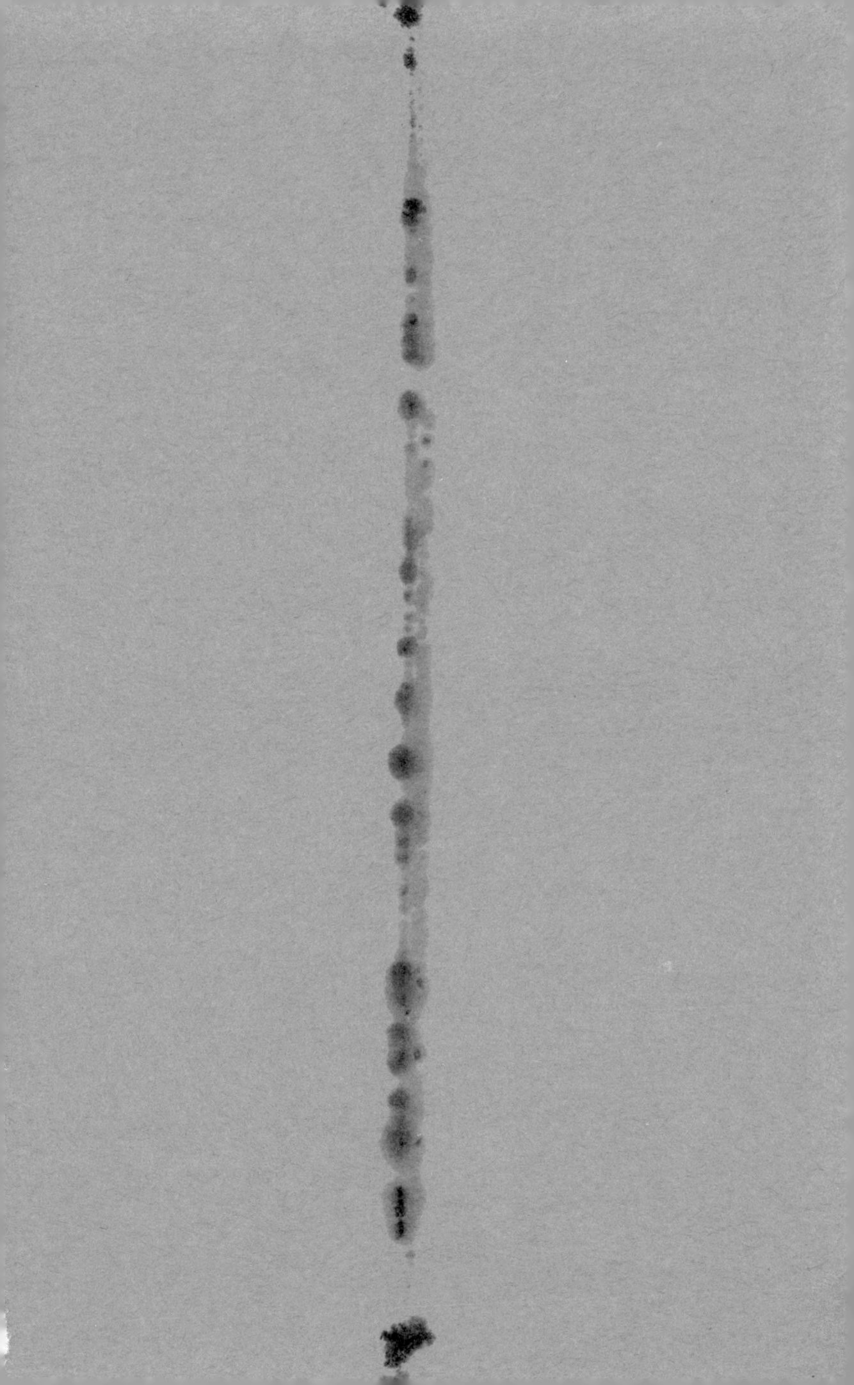

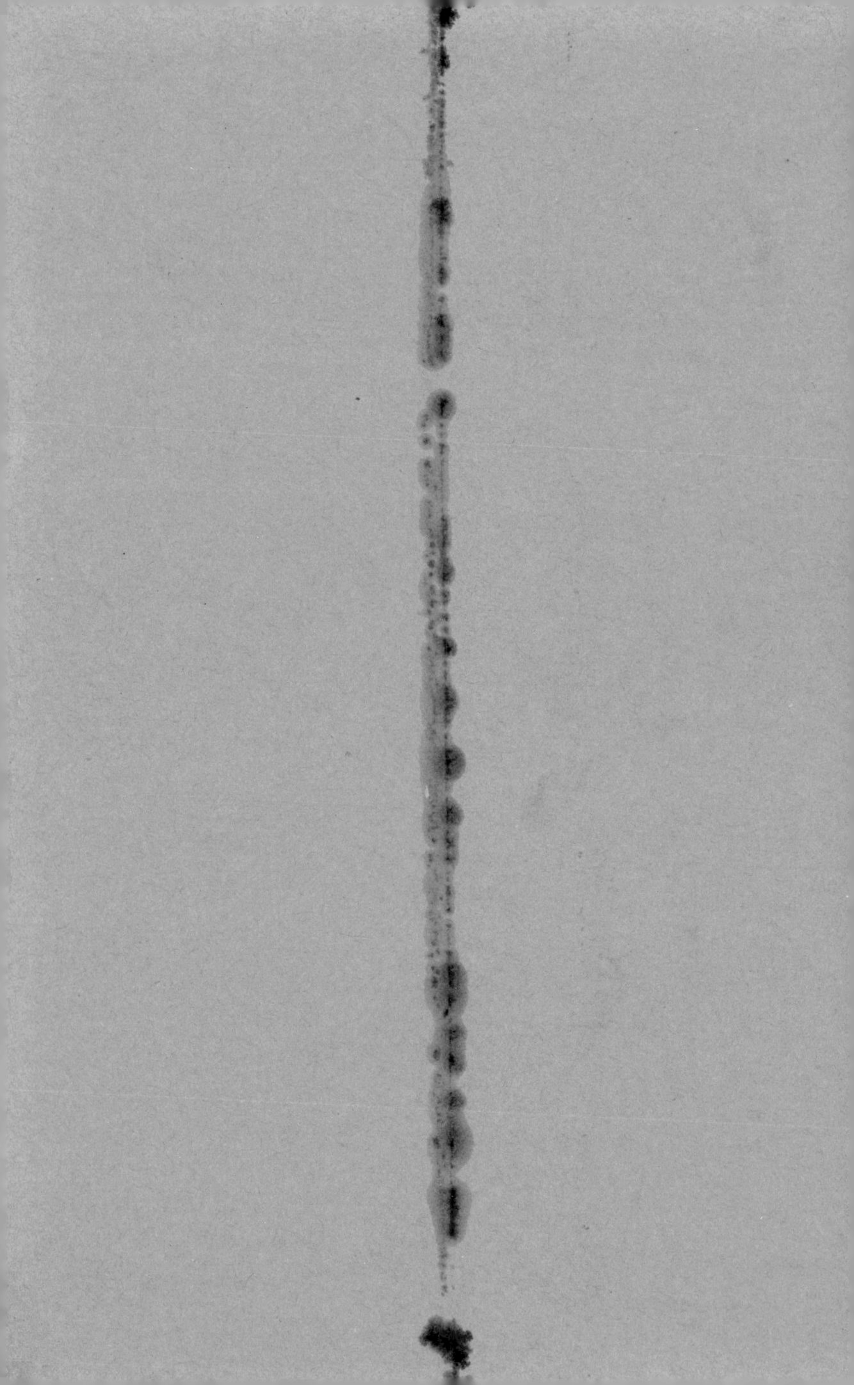